These stories have all appeared in *Der Roller*, the magazine for the second and third year, published by Mary Glasgow & Baker Ltd.

The illustrations are by William Burnard, Hugh Marshall and Hans Schwarz.

DER „ROTE BLITZ"

Fünf Geschichten

von

Marianne Calmann

Arnold Rosenberg

und

Karl-Heinrich Rüssmann

KA 0401736 6

Mary Glasgow & Baker Ltd
London

FIRST PUBLISHED IN GREAT BRITAIN 1965 BY
MARY GLASGOW & BAKER LTD

Copyright © 1965 by Marianne Calmann, Arnold Rosenberg and
Karl-Heinrich Rüssmann

Printed in Great Britain by
MACNEILL PRESS LTD, LONDON., S.E.I.

INHALT

DER „ROTE BLITZ"

Weisst du, was ein Seifenkistenrennen ist? Na, sicher weisst du das. Und die Jungen und Mädchen in Einbeck wussten es auch — ganz genau sogar, denn seit Wochen wurde von fast nichts anderem gesprochen.

Die Sache war so: Das Stadtjugendamt hatte für alle Jungen und Mädchen bis zu 14 Jahren ein Seifenkistenrennen ausgeschrieben. Übrigens das erste Einbecker Seifenkistenrennen.

Die Beteiligung war erstaunlich gross. Überall in der kleinen Stadt wurde bald fieberhaft gearbeitet. Natürlich war alles streng geheim. Keine der Gruppen, die sich zum Bau eines Seifenkisten-Rennwagens zusammengetan hatten, gab technische Einzelheiten „ihres" Modells bekannt.

So mancher Vater suchte nun oft vergeblich seinen Werkzeugkasten, und so manche Mutter fand plötzlich den alten Kinderwagen im Keller ohne Räder vor. Überhaupt: Alte Kinderwagen waren auf einmal begehrte Mangelware!

Auch in der Steinstrasse Nummer 19 bei Heckmanns. Dort sassen Klaus Heckmann und seine Mannschaft beisammen: seine Schwester Sigrid und seine Freunde Winfried Evers und Helmut Ortner. Frau Heckmann war auch dabei, und sie schüttelte gerade unwillig den Kopf.

„Der Kinderwagen ist doch noch ganz in Ordnung, Klaus. Den könnt ihr doch nicht einfach kaputtmachen!"

„Aber Mutti!" sagte Klaus, „wer redet denn von kaputtmachen? Wir brauchen ja nur die Räder und die Achsen."

Nun musste Frau Heckmann doch lachen. „Na gut. Ihr lasst mir ja sonst doch keine Ruhe. Und wenn ihr wollt, könnt ihr im Gartenhaus arbeiten. Da stört euch niemand."

Das „Gartenhaus" war eine kleine Holzhütte in Heckmanns Kleingarten am Stadtrand. Klaus, Sigrid und Winfried stimmten begeistert zu. Auch Helmut wollte etwas sagen; aber dann rieb er sich nur nach alter Gewohnheit zufrieden die rechte Augenbraue.

*　　*　　*

Drei Tage später kam Sigrid mit einem braunen Fleck am Kleid und einer aufregenden Neuigkeit ins Gartenhaus.

„Wisst ihr, wer mich da mit Erde beworfen hat?"

Sie deutete auf den Fleck im Kleid. Niemand wusste es.

„Manni und zwei von seiner Bande!"

„Manni?!" Erregt sprangen die Jungen auf. Manfred („Manni") Becker aus der Steinstrasse Nummer 10, mit dem sie sich seit Jahren bei jeder Gelegenheit in die Haare gerieten?

„Wo?" — „Wann?" — „Warum?"

Sigrid beantwortete geduldig alle Fragen: Drüben in Beckers Kleingarten hatte sie die Jungen gesehen. Sie bastelten — an einer Seifenkiste! Und Mannis älterer Bruder, ein Automechaniker, hatte dabeigestanden und gute Tips gegeben. Dann hatten sie Sigrid entdeckt und mit Erdklumpen nach ihr geworfen, damit sie den Rennwagen nicht noch genauer sehen konnte.

„So eine Gemeinheit!" rief Klaus. „Sich von einem Automechaniker helfen lassen!"

„Lass mal", sagte Winfried und nahm wieder den Hammer zur Hand, „wir schlagen sie trotzdem."

Und Helmut rieb sich zustimmend seine rechte Augenbraue.

Dabei blieb es. Bis zum Sonntag vor dem Rennen. An diesem Sonntag passierte es dann . . .

Gleich nach dem Kaffeetrinken eilten Klaus und seine drei Helfer wieder zum Gartenhaus. Heute wollten sie den fertigen Rennwagen (ein tolles Modell übrigens) noch anmalen und dann am Kirschenberg zu einer Probefahrt starten.

Doch als sie zum Gartenhaus kamen . . . die Tür war aufgebrochen, ein Fenster und zwei Stühle zerschlagen, der Topf mit Farbe ausgegossen und der Rennwagen — völlig zertrümmert! Kaputt!

Sigrid fing gleich an zu weinen. Die Jungen brachten vor Schreck kein Wort heraus. Helmut rieb sich immer wieder fassungslos die rechte Augenbraue. „Manni!" rief Winfried plötzlich. „Das kann nur Manni Becker mit seiner Bande gewesen sein!" Wie auf Kommando rannten alle vier zu Beckers Garten hinüber.

Klaus war als erster dort. Dicht hinter ihm schnauften Winfried und Helmut heran. Sigrid folgte in einigem Abstand. Einen Augenblick lang standen dann alle vier schnaufend am Gartenzaun und schauten auf das Beckersche Gartenhaus. Deutlich konnte man von drinnen Stimmen hören, und dann sahen sie auch Mannis Kopf hinter einem der Fenster.

Klaus stiess das Gartentor auf. „Kommt heraus, ihr feigen Schufte!" schrie er. „Jetzt seid ihr dran!"

Im nächsten Augenblick wurde die Tür aufgerissen und Manfred Becker stürzte heraus, gefolgt von zwei anderen Jungen.

„Was?! Ihr Hunde kommt nochmal?" rief Manni, ein kräftiger, braunhaariger Junge von 14 Jahren, mit blitzenden Augen. „Euer Testament habt ihr ja hoffentlich gemacht!"

Mehr konnte er nicht sagen, denn Klaus hatte ihn schon gepackt und gleich darauf rollten sie beide auf der Erde, in stummem, erbittertem Ringkampf. Im Nu war eine grosse Schlägerei im Gang. Nur noch

Arme, Fäuste und Beine sah man.

Sigrid rang angstvoll die Hände. Da schoss ihr ein Gedanke durch den Kopf: Mannis Rennwagen! Der stand doch unbewacht im Gartenhaus!

Flink wie ein Wiesel rannte sie durch die offene Tür ins Gartenhaus. Doch dann blieb sie stumm vor Staunen stehen.

Hier sah es genauso schlimm aus wie in ihrem eigenen Gartenhaus. Und der Rennwagen — war ebenfalls völlig zertrümmert! Plötzlich war ihr alles klar. Rasch lief sie hinaus, wo die Jungen immer noch ringend und schnaufend auf der Erde lagen.

„Klaus!" rief sie, „Klaus — Mannis Rennwagen ist auch kaputt! — Das waren andere!"

Ungläubig starrte Klaus zu ihr empor.

„Bestimmt", rief sie, „Mannis Wagen ist genauso kaputt wie unserer!"

„Wieso — ist euer Wagen — kaputt?" fragte Manni und schnappte erschöpft nach Luft.

„Ich dachte, du wüsstest das am besten!" antwortete Klaus grimmig; aber dann liess er Manni los und stand auf. Auch die anderen standen auf und klopften sich den Schmutz von den Kleidern.

Alle gingen ins Gartenhaus und besahen sich den zertrümmerten Seifenkistenwagen und die anderen Schäden: eine eingedrückte Fensterscheibe und zerbrochene Gartenstühle. Ausserdem fehlte Mannis Arbeitsjacke, eine alte Jacke seines Vaters. Kein Zweifel, in beiden Gartenhäusern waren dieselben Einbrecher gewesen. Aber wer?

„Das müssen wir sofort der Polizei melden", sagte Klaus.

„Und die Rennwagen?" fragte Manni.

Da schwiegen alle. Bis zum nächsten Sonntag, dem Tag des Seifenkistenrennens, beide Wagen wieder zusammenbauen? Unmöglich!

„Aber könnte man nicht", meinte Sigrid schüchtern, „könnte man nicht aus den Resten der zwei Wagen wenigstens einen neuen bauen?"

„Hm", sagte Klaus und sah Manni an.

„Hm", sagte Manni und sah seine beiden Freunde an. Aber dann gingen sie erst einmal zur Polizei.

*   *   *

Als sich die beiden Gruppen am Montag nach der Schule wieder im Beckerschen Gartenhaus trafen, wusste schon jeder die Neuigkeit. Aber Klaus zog doch noch einmal die *Einbecker Morgenpost* aus der Jackentasche und las vor:

„Wie die Polizei mitteilt, sind in der Nacht zum Sonntag aus dem hiesigen Gefängnis zwei 24 Jahre alte Männer entflohen. Sie waren erst vor wenigen Tagen wegen zahlreicher Einbrüche und Diebstähle zu mehrmonatigen Gefängnisstrafen verurteilt worden. Noch in der Fluchtnacht haben sie, wohl auf der Suche nach Lebensmitteln und Kleidung, sechs neue Einbrüche in kleine Gartenhäuser am Stadtrand verübt. Neben anderen Gegenständen zerstörten sie auch zwei Seifenkistenwagen, die von Jugendgruppen für das grosse Seifenkistenrennen am kommenden Sonntag gebaut worden waren . . ."

„Diese elenden Schufte!" knirschte Manni.

„Die anderen Seifenkistengruppen wissen jetzt also, was bei uns passiert ist", meinte Winfried. „Traurig werden sie bestimmt nicht sein." Diese Bemerkung wirkte wie eine Vitaminspritze.

„Denen werden wir's zeigen!" schimpfte Manni.

„Jawohl, jetzt gerade!" rief Klaus aus.

Wenig später sassen sie alle draussen auf der Gartenbank und berieten darüber, wie sie in den wenigen Tagen einen neuen Rennwagen bauen könnten. Dann wurde endgültig das Kriegsbeil begraben. Klaus und Manni schüttelten sich lange die Hand und schlossen im Namen ihrer Gruppen feierlich Freundschaft.

„Jeder bekommt einen Schluck!" rief Sigrid strahlend und schwenkte eine Flasche Limonade.

„Auf unseren Sieg im Seifenkistenrennen!" sagte Klaus und tat einen tiefen Schluck aus der Flasche.

„Prost!" riefen Winfried, Manni und seine Freunde Heinrich und Uwe.

Helmut rieb sich zufrieden die rechte Augenbraue. Dann gingen sie an die Arbeit.

*   *   *

„Fertig!" jubelte Manni und warf den Farbpinsel gegen die Wand des Beckerschen Gartenhauses.

„Endlich!" seufzte Klaus erleichtert und betrachtete stolz den eleganten Rennwagen, dessen helles Rot in der Samstagnachmittagssonne leuchtete.

„Jetzt noch einen flotten Namen, dann kann morgen nichts mehr schief gehen."

„Ist doch klar, wie der heisst", rief Sigrid: „Roter Blitz!"

Alle Jungen waren einverstanden.

*   *   *

„Achtung, Achtung! Letztes Rennen! Klaus Heckmann und Rudi Altig — fertigmachen zum Start!"

Laut schallte die Stimme des Ansagers aus mehreren Lautsprechern über den Kirschenberg und über die Köpfe Hunderter begeisterter Zuschauer des ersten Einbecker Seifenkistenrennens hinweg.

„Leute! Es geht los!" Aufgeregt starrte Manni zum Start hinauf. Auch Sigrid, Winfried und die anderen Freunde beugten sich atemlos vor. Von ihrem Platz aus konnten sie die ganze Rennstrecke, ein Stück Asphaltstrasse mit starkem Gefälle, gut überblicken. Vier Ausscheidungsrennen hatte ihr *Roter Blitz* mit Klaus am Steuer schon gewonnen. Keiner der Freunde hatte mit diesem Erfolg gerechnet. Aber nun — natürlich — nun sollte er auch das letzte, das Entscheidungsrennen gewinnen.

„Da! Der Blaue ist schon am Start!" Mit vor Aufregung zitternden Fingern zeigte Sigrid hinauf. Der Blaue! Ja, gleich beim ersten Rennen war ihnen dieser schnelle, stahlblaue Wagen aufgefallen. Sein Fahrer Rudi Altig war der einzige ‚Fremde' unter den 32 Teilnehmern, ein Junge aus dem benachbarten Dorf Ahlfeld. Ein gefährlicher Gegner!

„Achtung!" brüllte Manni. Eben war der Startschuss gefallen.

„Klaus!" — „Gib ihm Saures!" — „Tempo, Tempo!"

Aus Leibeskräften feuerten die Freunde Klaus an. Das war auch nötig. Vom Start weg hatte der blaue Wagen einen leichten Vorsprung. Doch dann — Helmut rieb sich fast die rechte Augenbraue aus — dann schob sich der *Rote Blitz* Zentimeter um Zentimeter an seinem Gegner vorbei.

„Er gewinnt! Klaus gewinnt!" rief Winfried, der die besten Augen hatte. Und tatsächlich: Mit einem halben Meter Vorsprung ging der *Rote Blitz* durchs Ziel. Laut jubelnd rannten Sigrid und die Jungen hinunter. Unten wurde Klaus von begeisterten Zuschauern fast erdrückt.

Schliesslich konnte er sich frei machen und ging zu seinem Konkurrenten hinüber, der noch etwas traurig in seinem Wagen sass. Klaus schlug ihm kameradschaftlich auf die Schulter.

„Die Entscheidung war knapp, Rudi", sagte er. „Du hättest auch gewinnen können."

Da lächelte der andere Junge und schüttelte Klaus herzlich die Hand.

„Vielen Dank", sagte er, „das finde ich ganz prima von dir. Klaus heisst du, nicht wahr?"

„Hoch lebe der *Rote Blitz*", schallte es in diesem Augenblick, und Manni und die Freunde packten Klaus und wollten ihn auf ihre Schultern heben. Doch Klaus schüttelte lachend den Kopf: „Was soll der Quatsch, Leute? Wir haben den Wagen zusammen gebaut, also haben wir auch alle gewonnen."

Manni betrachtete inzwischen den blauen Rennwagen.

„Gute Arbeit", meinte er anerkennend zu Rudi Altig. „Hast du den allein . . ."

Plötzlich stockte er, bückte sich und zog etwas vom Sitz des Wagens hoch.

„Meine Arbeitsjacke!" rief er. „Die Jacke, die die Einbrecher aus unserem Gartenhaus gestohlen haben. Woher hast du sie?"

Alle starrten auf Rudi. Der wurde puterrot im Gesicht, aber er blieb ganz ruhig.

„Kannst du gern wissen: von unserem Bauernhof. Einer unserer beiden neuen Landarbeiter hat sie weggeworfen. Ich konnte sie gut brauchen, um den Sitz im Wagen bequemer zu machen."

„Was für zwei neue Landarbeiter?" fragte Winfried etwas misstrauisch.

Der Lautsprecher unterbrach das Gespräch: „Achtung, Achtung! In wenigen Minuten beginnt die Siegerehrung. Die erfolgreichen Fahrer möchten bitte mit ihren Wagen sofort zum Mikrofon kommen! — Ich verlese jetzt die Namen . . ."

★　　　★　　　★

„KLAUS HECKMANN WAR AM SCHNELLSTEN!"

So lautete die Schlagzeile des Berichtes über das erste Einbecker Seifenkistenrennen, den die *Einbecker Morgenpost* am nächsten Tag in grosser Aufmachung herausbrachte. Und noch eine andere Schlagzeile erregte die Aufmerksamkeit der Leser der *Morgenpost*:

„DIEBE WIEDER HINTER GITTERN. KINDER FANDEN DIE ZWEI AUSBRECHER!"

Ein Foto zeigte die strahlenden Gesichter von Rudi Altig, Klaus und Sigrid Heckmann, Manni Becker und ihren vier Freunden. Bei einem der Jungen konnte man allerdings nur raten, wer er war; er hielt gerade die Hand vors Gesicht, als wollte er sich die rechte Augenbraue reiben . . .

ZOLLHUND AJAX

Unsere Geschichte hat sich an der österreichischen Grenze in dem kleinen Ort Schleching in Bayern ereignet. Die Grenze geht dort über die Ausläufer der Alpen. Die Berge sind bis zu 1.800 m hoch. Zwischen diesen Bergen fliesst ein Fluss durch ein tiefes, wild-romantisches Tal von Österreich zum Chiemsee in Bayern. Nach einigen Kilometern wird das Tal breiter. Hier liegt das Dorf Schleching inmitten grüner Wiesen. Es liegt abseits vom Verkehr und hat sehr schöne, grosse Bauernhäuser, in denen die Urlauber gern wohnen.

In Schleching war eine Zollaufsichtsstelle. Leiter war Zollsekretär Obermaier. Er hatte einen Zollhund, einen deutschen Schäferhund, der *Ajax* hiess.

In einer dunklen und kalten Frühlingsnacht war Obermaier mit Ajax auf Streife. Er hatte um zwei Uhr früh seinen Dienst begonnen. Als der Morgen zu dämmern begann, gingen Obermaier und Ajax zur Brücke, die über die Tiroler Ache führt, etwa zwei Kilometer von Schleching entfernt. Von hier aus konnte er die Wiesen vor dem Dorf gut übersehen.

Es wurde langsam heller. Die Sonne schien schon auf die Bergspitzen. Obermaier wurde schläfrig.

Plötzlich sprang Ajax auf, spitzte die Ohren und zog

an der Leine. Da war auch Obermaier sofort richtig munter. Er nahm sein Fernglas und suchte den Waldrand ab.

Ja, es bewegte sich etwas am Waldrand. Obermaier erkannte durch das Fernglas einen Mann mit einem grossen Rucksack, der sich vorsichtig nach allen Seiten umschaute. Als er glaubte, die Luft sei rein, ging er auf das Dorf zu. Das konnte nur ein Schmuggler sein.

Ajax zog heftig an der Leine. Er wusste: Hier gibt es etwas zu tun. Aber sein Herr kümmerte sich nicht darum. Er hielt ihn fest an der Leine und lief mit ihm los. Er wollte dem Schmuggler den Weg abschneiden. Sie mussten über zwei Zäune klettern. Weil Obermaier aber so dick angezogen war, konnte er nicht schnell laufen. Der Schmuggler hatte sie noch nicht bemerkt, denn er war noch weit entfernt. Da rief Obermaier:

„Halt! Grenzbeamter!" Und noch einmal: „Halt!"

Der Schmuggler drehte sich um, erkannte den Zollbeamten und fing an zu laufen, so schnell er konnte. Als der Schmuggler auch nach dem dritten Anruf noch nicht stehenblieb, liess Obermaier seinen Zollhund los.

Ajax stürmte los. Er wollte jetzt zeigen, was er konnte. 300 m, 200 m, 100 m, jetzt hatte er den Mann erreicht. Ajax stoppte, stutzte und staunte. Schliesslich kreiste er um den Schmuggler und bellte freudig. Da blieb auch der Schmuggler stehen, bückte sich und streichelte Ajax.

Dies alles sah Zollsekretär Obermaier mit grossem Erstaunen. Dann rief er laut:

„Ajax, fass!"

Aber Ajax blieb unschlüssig stehen. Dann pfiff Obermaier auf seiner Hundepfeife. Das ist eine Pfeife mit besonders hohen Tönen, die nur ein Hund hören kann. Ajax hörte auch sofort den Pfiff. Er kam langsam zu Obermaier zurück.

Der Schmuggler war inzwischen weitergelaufen und

verschwand hinter den ersten Häusern von Schleching. Obermaier nahm Ajax an die Leine. Er bestrafte ihn nicht, denn die Sache kam ihm nicht geheuer vor.

*   *   *

Obermaier ging mit Ajax in das Dorf und versuchte die Spur des Schmugglers aufzunehmen. Ajax aber achtete auf keine Spur und trottete beschämt neben seinem Herrn her. Alle Leute schliefen noch. Niemand konnte ihm einen Hinweis geben. Obermaier gab deshalb die Suche auf und ging zu seiner Dienststelle.

Es war sechs Uhr, als er dort ankam. Er rief sofort das Zollkommissariat in Unterwössen an und meldete den Vorfall. Dann machte sich Obermaier mit Ajax wieder auf den vorgeschriebenen Dienstweg.

Zollinspektor Richter beim Zollkommissariat Unterwössen schlief noch, als das Telefon läutete. Er rieb sich die Augen und schimpfte vor sich hin: „Keine Nacht kann man ungestört schlafen!"

Als er aber sah, dass es schon sechs Uhr war, sprang er aus dem Bett. Er hob den Hörer ab und notierte, was Obermaier ihm erzählte. Dann nahm er diese Meldung, ging zum Büro seines Chefs, des Zollkommissars Müller, und legte sie ihm auf den Schreibtisch.

Zollkommissar Müller kam gegen acht Uhr in die Dienststelle. Er war im Nachtdienst gewesen und hatte gar nicht geschlafen. Er wollte nur die Post durchsehen und dann einige Stunden schlafen. Da sah er die Meldung auf seinem Tisch.

Er las, schüttelte den Kopf und las noch einmal.

„Das ist doch nicht möglich", dachte er. „Unser Ajax, mit dem wir schon drei Preise gewonnen haben! Da stimmt etwas nicht."

Er rief den Zollinspektor Richter zu sich:

„Richter, bitte holen Sie schnell den Gruber her! Der kennt sich am besten mit Hunden aus."

Gruber war der Zollhundlehrer. Neben seinem normalen Grenzdienst bildete er die Zollhunde weiter aus. Er hatte Hunde besonders gern. Es gab kaum einen Hund, mit dem er nicht in kurzer Zeit gut Freund gewesen wäre. Er hatte schon viele Hunde mit Erfolg ausgebildet. Gruber hatte Ajax vor vier Jahren selbst bei einem Hundezüchter in Grassau ausgesucht und ihn ausgebildet. Ajax war ein sehr guter Schüler gewesen. Am liebsten hätte er ihn damals selber behalten. Er hatte aber schon den „Harras". Harras war ein ganz besonderer Hund. Er hatte im vergangenen Winter zwei Schifahrer gefunden, die von einer Lawine verschüttet worden waren. Ausserdem hatte er eine besonders gute Nase für Kaffee. Er hatte schon mehrmals versteckten Kaffee in Omnibussen, Autos und Taschen gefunden.

Sie berieten eine Weile. Was war wohl mit Ajax los?

Da sprang Gruber erregt auf.

„Der Schmuggler kann nur der Ammer aus Grassau gewesen sein!" rief er. „Von dem haben wir damals den jungen Ajax gekauft. Ajax hat sicher in dem Schmuggler seinen alten Herrn wiedererkannt und ihn deshalb laufen lassen."

„Das ist des Rätsels Lösung", sagte Zollkommissar Müller. „Darauf wäre ich nicht gekommen. Auf, nach Grassau! Gruber, Sie fahren mit uns. Wir können beim Ammer vielleicht jemanden brauchen, der mit Hunden umgehen kann."

An Schlaf war jetzt nicht mehr zu denken.

Sie fuhren mit dem Dienstwagen nach Grassau. Das Haus des Ammer lag am Ortsende. Die Hunde in den Zwingern im Garten fingen sofort an, wütend zu bellen. Ammer dressierte hauptsächlich Schäferhunde.

Zollkommissar Müller läutete an der Haustür. Frau

Ammer öffnete. Als sie die drei Zollbeamten in Uniform sah, wollte sie die Tür gleich wieder zuschlagen. Darauf war aber Müller gefasst. „Grüss Gott, Frau Ammer!“, sagte er freundlich. „Warum so unhöflich? Wir hätten gern Ihren Mann gesprochen.“

„Mein Mann schläft noch und ist jetzt nicht zu sprechen! Wir wollen mit dem Zoll nichts zu tun haben!“

Da öffnete sich auf dem Flur eine Tür. Ganz verschlafen steckte Ammer seinen Kopf aus der Schlaf-zimmertür.

„Was ist denn hier los? Ich will doch schlafen!"

Dann erkannte er die Zollbeamten. Er erschrak, fasste sich aber schnell und fragte:

„Was wollen Sie von mir?"

„Ziehen Sie sich bitte an. Wir haben mit Ihnen zu reden", sagte Müller. Ammer ging zurück in das Schlafzimmer.

Zollkommissar Müller wartete vor der Schlafzimmertür. Er gab Gruber einen Wink. Der ging vor das Haus, um draussen aufzupassen. Er ging um das Haus herum. Das musste das Schlafzimmerfenster sein! Er hätte gern zum Fenster hineingeschaut. Aber es war so hoch, dass er es nicht erreichen konnte. Da wurde das Fenster geöffnet und ein voller Rucksack herausgeworfen. Gruber musste schnell zur Seite springen, sonst wäre ihm der Rucksack auf den Kopf gefallen.

„Danke schön", rief er hinauf. Da lehnte sich Ammer aus dem Fenster. Vor Schreck wäre er fast aus dem Fenster gefallen, als er sah, dass Gruber nun seinen Rucksack hatte.

Zollkommissar Müller hatte gehört, dass Ammer das Fenster geöffnet hatte. Er hatte auch die Stimme des Gruber gehört. Er klopfte deshalb an die Tür:

„Sind Sie jetzt fertig? Öffnen Sie sofort!"

Als Ammer die Tür öffnete, kam Gruber gerade mit dem Rucksack wieder in das Haus.

„Ihnen ist etwas aus dem Fenster gefallen", sagte er spöttisch.

Nun wurde der Rucksack geöffnet. Es war Kaffee und Tee in österreichischer Originalverpackung darin. Es war das Schmuggelgut, das Ammer in der vergangenen Nacht über die Grenze geschafft hatte. Ammer gab dies auch zu. Müller fragte ihn:

„Haben Sie noch mehr Schmuggelgut im Hause?"

„Nein, bestimmt nicht", sagte Ammer. „Es war das erste Mal, dass ich so etwas gemacht habe! Sie können gern das ganze Haus durchsuchen."

„Das werden wir auch tun", sagte Müller. „Gruber, Sie schauen sich ausserhalb des Hauses um. Richter und ich durchsuchen das Haus."

Sie durchsuchten nun das Haus vom Dachboden bis zum Keller. Sie fanden aber kein Schmuggelgut. Gruber untersuchte inzwischen den Holzschuppen, die Garage und die Hundezwinger. In einem Zwinger war ein schöner, besonders scharfer Schäferhund. Der Zwinger war grösser als die anderen.

Der Hund zeigte seine Zähne und bellte Gruber wütend an. Gruber brauchte einige Zeit, bis er den Hund beruhigt hatte. Dann ging er in den Zwinger und sperrte den Hund in die Hütte. Dabei sah er, dass die Hütte innen nicht so tief wie aussen war. Sie musste eine doppelte Rückwand haben. Er untersuchte sie genau. Schliesslich fand er einen Riegel, mit dem sich die Rückwand öffnen liess. Dahinter war ein ganzes Warenlager. Säuberlich gestapelt fand er da drei Säcke Rohkaffee, zwei grosse Kartons mit österreichischem Zigarettenpapier, zwei Pakete mit Tee, 10 Flaschen Rum und etwa 100 Stangen mit je 200 Stück amerikanischer Zigaretten. Es war alles geschmuggelte Ware!

Auf der Dienststelle wurde Ammer dann verhört. Er gab alles zu. Er hatte im österreichischen Grenzort einen Schwager. Dem gehörte dort ein Lebensmittelgeschäft, das nicht besonders gut ging. Der Schwager wollte sich durch Schmuggeln Geld verdienen und hatte Ammer überredet, mitzumachen. Der Schwager kaufte die Waren in Österreich ein und brachte sie an den vereinbarten Tagen nachts bis zur Grenze. Sie trafen sich bei einem einsamen Heuschober in den Bergen. Ammer holte die Waren dort ab und trug sie nach Schleching. Dort hatte er sein Fahrrad abgestellt. Damit fuhr er dann nach Grassau. Er sollte die Waren in Bayern günstig verkaufen, und den Gewinn wollten sie sich teilen.

Ammer wird sicher nicht mehr schmuggeln. Er erhielt vier Monate Gefängnis und eine hohe Geldstrafe.

So hat Ajax letzten Endes doch den Schmuggler gefangen.

GÜNTER ERHOLT SICH

Der Arzt kam aus dem Zimmer.

„Na, Frau Braun, es geht ihm besser. Und jetzt muss er aufs Land. Frische Luft. Landluft."

„Aufs Land? Aber wie lange denn?"

„Zwei Monate. Mindestens."

„Und die Schule, Herr Doktor?"

„Schule? Er soll sich auf dem Land erholen. Auf Wiedersehen, Frau Braun."

Frau Braun ging in das Zimmer zurück.

„Du sollst aufs Land", sagte sie zu Günter, der auf seinem Bett sass.

„Wohin?" fragte ihr Sohn.

„Zu Tante Hanna in den Schwarzwald?"

„Nein. Sie sagt immer, Jungen seien laut, schmutzig und frech."

„Frau Zimmermann, bei München?"

„Die hat nur zwei Zimmer, und eins ist voll von Katzen, Mutti. Nein, es bleibt nur . . ."

„ . . . Onkel Friedrich, in der Fränkischen Schweiz. Na, Günter, wenn du glaubst, dass es bei Onkel Friedrich besser ist als bei Tante Hanna . . . Wir könnten Frau Zimmermann fragen, ob die Katzen nicht woanders . . .?

„Nein", sagte Günter, „schreib an Onkel Friedrich. Schliesslich kann er nur ‚nein' sagen."

„Ja, mein Junge", sagte Frau Braun.

„Und ich bin jetzt fünfzehn. Er braucht sich nicht um mich zu kümmern. Ich kann mich allein amüsieren."

„Also ich werde schreiben", sagte Frau Braun. „Weisst du, Günter, es ist nicht so leicht. Du kennst Onkel Friedrich nicht. Er ist etwas . . . merkwürdig."

„Wieso, merkwürdig?" rief Günter. „Verrückt? Nicht ganz klar im Kopf?"

Seine Mutter antwortete nicht. Sie seufzte, setzte sich hin und schrieb:

„. . . bekam mein Sohn Günter im Juni eine Lungenentzündung und kam ins Krankenhaus. Da lag er die ganzen Sommerferien, der arme Kerl. Er ist seit einer Woche wieder zu Hause. Heute kam der Arzt. Günter muss aufs Land, sagt er. Nun dachten wir an Dich. Du hast ein grosses Haus. Natürlich werde ich für seinen Aufenthalt zahlen. Schreibe mir, welche Summe ich Dir schicken soll. Günter ist ein ruhiger, netter Junge, der wenig Arbeit macht. Er bringt seine Schulbücher mit, aber der Arzt sagt, er soll viel draussen sein . . ."

Frau Braun schrieb weiter. Dann gab sie Günter den Brief zum Lesen.

„Aha!" sagte Günter. „Ich bin ein ruhiger, netter Junge, der wenig Arbeit macht? Das wusste ich gar nicht. Und wieso ist Onkel Friedrich merkwürdig? Was tut er eigentlich?"

„Was er jetzt tut, weiss ich nicht", sagte Frau Braun.

Sie warteten eine Woche. Dann kam ein Brief.

„Der Brief riecht nach . . . nach Teer!" sagte Günter.

„Nicht Teer. Haaröl. Benzin", sagte seine Mutter.

„Haaröl ist es nicht, Mutti. Es ist eher etwas — Moment — nein, ich weiss es nicht."

Frau Braun öffnete den Brief.

„Liebe Hilde! Platz ist da. Gut, dass er ruhig ist, aber kann er kochen? Geld will ich nicht haben. Er kann kommen, wann er will. Ich habe keine Zeit, ihn abzuholen. Es lebe die frische Luft!

Dein Friedrich

★   ★   ★

Günter Braun sass im Zug und schlief.

Seit seiner Lungenentzündung schlief er oft und gerne. Über ihm im Gepäcknetz lagen zwei alte Koffer. Rechts und links flogen Häuser, Wälder, Berge, Kühe, Pferde und Schafe an ihm vorbei; denn der Zug fuhr schnell. Aber Günter sah sie nicht. Er träumte. Im Traum sah er seinen Onkel Friedrich, der so merkwürdig war. Onkel Friedrich hatte drei Köpfe, und jeder Kopf trug einen anderen Hut . . .

„Behringersmühle!"

Günter öffnete die Augen, sprang auf und stand drei Minuten später mit seinen zwei Koffern auf dem Bahnsteig. Aber er war noch nicht ganz wach.

„Gibt es einen Autobus nach Gösstein?" fragte er einen alten Mann, der eine Pfeife im Mund hatte und auf einer Mauer sass.

„Da", sagte der Mann und zeigte auf den gelben Postbus.

Zehn Minuten später fuhr der Bus ab. Der alte Mann sass auf dem Platz vor Günter.

Der Bus fuhr durch den Wald in ein enges Tal. Rechts und links waren steile Felsen.

„Siehst du den Felsen da?" fragte der alte Mann plötzlich und zeigte nach rechts. „In dem ist eine Höhle, die drei Kilometer lang ist."

„Donnerwetter!" sagte Günter höflich.

„Wohin fährst du?" fragte der alte Mann und drehte sich wieder nach Günter um.

„Nach Eisendorf, zu meinem Onkel Friedrich."

„Friedrich Altmühl, der das grosse Haus in Eisendorf hat?"

„Ja, das ist mein Onkel. Ich kenne ihn aber nicht", antwortete Günter.

„Ich aber!" sagte der alte Mann. „Du bist also der Neffe vom alten Altmühl. Der ist etwas merkwürdig, dein Onkel."

„Gösstein!" rief der Fahrer und zu Günter: „Hier steigst du nach Eisendorf um."

Günter setzte sich mit seinen Koffern auf eine Bank und sah dem alten Mann zu, der sich eine Pfeife anzündete.

„Entschuldigen Sie bitte", sagte Günter nach ein paar Minuten, „fahren Sie auch nach Eisendorf? Wann kommt der Autobus?"

„Bald", sagte der alte Mann und blies vergnügt Rauch in die Luft.

„Und bitte", sagte Günter wieder ein paar Minuten später, „Sie kennen meinen Onkel? Wieso ist er merkwürdig?"

„Er lebt ganz allein in seinem grossen Haus", sagte der

alte Mann, „seine Frau ist tot und Kinder hat er nicht. Manchmal ist er tagelang nicht zu Hause. Die Leute sagen, dass er nur Butterbrote isst. Ausserdem hat er ein scheussliches Gesicht. Er hat wohl einen schlechten Charakter."

Der Autobus kam.

„Ich fahre auch in die Richtung", sagte der alte Mann. „Ich werde dir zeigen, wo das Haus liegt."

„Vielen Dank", sagte Günter. Er sah aus dem Fenster und dachte nach. Ein scheussliches Gesicht . . . ein schlechter Charakter . . .

Sie stiegen beide aus. Das Dorf war klein. Es war schon fast dunkel.

„Da drüben, das letzte Haus rechts", sagte der alte Mann. „Beim Waldrand. Auf Wiedersehen!"

Günter bedankte sich und machte sich mit seinen zwei Koffern langsam auf den Weg. Als er in die Nähe des Hauses kam, wurde ein Fenster hell. Das Haus war alt, der Garten gross und verwildert. Günter hatte Angst. Dann holte er tief Atem und klopfte an die Tür. Sie wurde sofort aufgemacht.

„Guten Abend!" sagte der alte Mann vom Postbus. „Komm nur herein, Günter!"

Günter ging hinein. Er war sprachlos. Das erste, was er merkte, war ein starker Geruch. Teer? Haaröl? Benzin?

„Herein! Herein!" sagte Onkel Friedrich. „Komm gleich in die Küche. Du hast sicher Hunger?"

„Ja", sagte Günter. Während er Onkel Friedrich in die Küche folgte, erinnerte er sich an das Gespräch im Autobus. Tagelang ist sein Onkel Friedrich nicht zu Hause! Er isst nur Butterbrote! Er hat ein scheussliches Gesicht und einen schlechten Charakter! Nun stand der Onkel selber vor ihm und sprach schon seit einigen Minuten.

„ . . . nichts in der Küche ausser Brot. Ich kann nicht kochen. Kannst du zufällig kochen?"

„Ja", sagte Günter. Er war nämlich Pfadfinder und stolz auf seine Kochkenntnisse.

„Fein", sagte der Onkel. „Dein Zimmer ist über der Küche. Hier ist Geld zum Einkaufen — morgen, meine ich! Ich komme morgen gegen sieben Uhr zum Abendessen zurück. Amüsier dich gut, mein Junge! Tu was du willst im Haus und im Garten. — Und jetzt, gute Nacht, und schlaf gut!"

Eine Woche verging. Günter amüsierte sich gut. Er verbrachte die Tage im Garten und im Wald, kaufte im Dorf ein und kochte jeden Abend für seinen Onkel. Der Onkel kam jeden Abend Punkt sieben zum Abendbrot nach Hause. Er war immer müde und oft mit weisslichem Staub bedeckt.

Günter merkte nichts von seinem schlechten Charakter. Im Gegenteil, er war immer freundlich zu Günter. Er sagte ihm aber nie, wo er arbeitete oder was seine Arbeit war.

Jeden Tag ging Günter durch das Haus und versuchte herauszukommen, woher der merkwürdige Geruch kam. Aber er konnte ihn nicht finden. Einmal sagte er zu seinem Onkel: „Was ist das für ein Geruch, Onkel Friedrich?"

Und plötzlich sah Onkel Friedrich ganz merkwürdig aus.

„Geruch? Ich rieche nichts", sagte er kurz. Dann ging er in den Keller, wie jeden Abend nach dem Essen. Diesmal aber folgte ihm Günter mit klopfendem Herzen. Die Kellertür war von innen abgeschlossen.

„Onkel Friedrich!" rief Günter, aber der Onkel antwortete nicht.

Am nächsten Abend kam Onkel Friedrich nicht zum Abendessen. Die Bratkartoffeln und der Speck wurden kalt. Auch am nächsten Tag war der Onkel nicht da. Günter sah nach: er hatte nicht in seinem Bett geschlafen. Günter wurde unruhig. Er wusste nicht, wo er suchen sollte.

Er ging hinunter zur Post, um einen Brief an seine Mutter einzustecken. Da traf er den Postboten und fragte ihn, ob er seinen Onkel gesehen habe.

„Ich habe ihn vor zwei Tagen gesehen", sagte der Postbote, „im Weiherbachtal. Er ging wohl zur Höhle."

„Zu welcher Höhle?"

„Na, zur Teufelshöhle. Da fährt er doch jeden Tag mit seinem Rad hin."

Günter überlegte. Daher kam der weissliche Staub auf Onkel Friedrichs Jacke. Zwei Tage in der Höhle ... Was war dem Onkel passiert? Vielleicht ein Unfall?

Zwei Stunden später standen Günter, der Postbote und zwei Bauern aus dem Weiherbachtal tief im Inneren der Teufelshöhle.

„Onkel Friedrich!" rief Günter.

„Herr Altmühl!" riefen die Männer.

In der grossen Tropfsteinhöhle war nichts zu hören. Die Kerzen flackerten in ihren Händen.

„Wir müssen bis ans Ende der nächsten Höhle gehen", sagte einer der Bauern. Da muss er sein ..."

Da war Onkel Friedrich auch. Er sass auf dem Boden. Neben ihm lag sein Rucksack. Vor ihm brannte der Rest einer Kerze.

„Na endlich", sagte Onkel Friedrich vergnügt. „Du bist ein intelligenter Kerl, Günter. Ich habe mir den Fuss verstaucht. Was ich hier mache? Sieh mal ..."

Und er holte einen grossen Knochen aus dem Rucksack.

„Siehst du diesen Knochen? Das ist ein Bärenknochen! Ich komme seit Jahren hierher und suche nach Knochen. Ich habe schon beinah ein ganzes Bärenskelett im Keller zu Hause."

„Aber Onkel Friedrich", sagte Günter, „das ist ja schrecklich interessant! Warum hast du aber nie darüber gesprochen?"

„Ja", sagte Onkel Friedrich, „ich schreibe eine Arbeit über die eiszeitlichen Tierknochen in dieser Höhle. Erst vorgestern habe ich die letzten Knochen gefunden ..."

Die Männer nickten. Sie hoben den alten Mann auf, und der Postbote, der besonders stark war, trug ihn zum Auto hinaus.

„Und der Geruch zu Hause ist also . . .?" fing Günter an.

„ . . . mein eigenes Reinigungspräparat. Die Knochen müssen zuerst mit diesem Präparat gereinigt werden, bevor sie mit Röntgenstrahlen geprüft werden können."

„Und sind sie wirklich aus der Eiszeit?" fragte Günter aufgeregt.

„Jawohl!" rief Onkel Friedrich und schwang einen Bärenknochen.

DER HARMONIA-KLUB

Der Klub lädt ein

Januar. Weihnachten ist vorbei. Die Osterferien sind noch fern. Aber wir freuen uns jede Woche auf den Mittwoch. Mittwoch ist nämlich Klubabend des Harmonia-Klubs. Die Mitglieder? Jungen und Mädchen, die 50 Pfennig im Monat zahlen.

Wir treffen uns bei Fritz — in dem alten Schuppen in seinem Garten. Am Mittwoch besprechen wir unsere Pläne für Sonnabend nachmittag. Eine Wanderung? Eine Radtour? Ein Film? Arbeit an dem Klub-Hauptquartier? Arbeit für die alten Herren und Damen? Wir helfen nämlich in einem Altersheim. Aber was machen wir nächsten Sonnabend?

Da hatte Ilse eine von ihren berühmten Ideen.

Wir hatten alle sehr viel zu tun mit den Vorbereitungen. Zwei von uns gingen zum Tennisverein, um zwei Tennisplätze für Sonnabend nachmittag zu mieten. Fritz ging zu seinem Vater, um ihn zu bitten, die alten Herren und Damen in seinem alten Auto hin- und zurückzufahren. Wir mussten natürlich auch zum Altersheim gehen mit den Einladungen für Sonnabend nachmittag.

„Den Gartenschlauch. Um Himmels willen! Den habe ich ganz vergessen!"

„Der Mathematiklehrer hat einen", sagte Fritz. „Versuchen wir es."

„Gerne", sagte der Mathematiklehrer.

Alles klappte wunderbar.

Im Januar ist es immer kalt bei uns. In der Nacht vom Freitag zum Sonnabend fror es — und wie! Und am Sonnabend morgen schien die Sonne.

Alle Mitglieder des Harmonia-Klubs sassen im Schuppen. Auf einer Kiste lagen viele Dinge.

Fritz zählte: „Zehn warme Decken! Zehn Kissen! Zehn Thermosflaschen mit heissem Kaffee . . ."

Und so weiter. Alles war da.

Um zehn Uhr waren wir alle auf dem Tennisplatz. Das Wasser, das wir am Abend vorher mit dem Gartenschlauch auf die Tennisplätze gespritzt hatten, war hartes Eis geworden, hart und glatt.

Wir sind alle gute Schlittschuhläufer, das wissen unsere Freunde von der Schule. Mindestens hundert von ihnen kamen am Nachmittag, zahlten ihre zwanzig Pfennig Eintritt und setzten sich auf die Stühle. In der ersten Reihe sassen unsere zehn Gäste vom Altersheim auf Liegestühlen. Jeder Gast hatte eine Decke, ein Kissen und eine Thermosflasche mit heissem Kaffee. Alles klappte weiter wunderbar.

Fritz rechnete: „Zwanzig, gar nicht schlecht, was?"

Die Mädchen traten zuerst auf. In ihren kurzen, bunten Röcken sahen sie wunderbar aus. Die Zuschauer klatschten.

Dann kamen wir Jungen. Wir hatten alle schwarze Pullover, eigene oder geborgte. Wir machten Wettläufe. Dann stellten wir Stühle auf das Eis, Fritz stellte sein Transistor-Radio an und wir spielten *Die Reise nach*

Jerusalem. Die alten Damen und Herren lachten, bis die Liegestühle wackelten.

Alle Zuschauer klatschten.

Zum Schluss liefen nur noch Fritz und ich — um *einen* Stuhl herum. Da! Die Musik hörte auf. Wir fielen beide hin. Au! O weh! Der arme Fritz . . . er sah sehr blass aus.

„Komm her, mein Junge", sagte ein alter Herr, „und setz dich in meinen Liegestuhl. So. Zieh die Schlittschuhe aus. Aha! Du hast auch Grösse 42."

Er probierte sie an.

„Wir wollen mal sehen", sagte er.

Und so kam es, dass in unserer letzten Nummer, Eistanzen für Paare, Ilse einen alten Herrn als Partner hatte.

Donnerwetter! Konnte der Schlittschuh laufen! Die Zuschauer klatschten wie verrückt.

„Man ist so alt, wie man sich fühlt", sagte der alte Herr.

Wir haben recht viel von ihm gelernt. Übrigens, als wir nachher zählten, hatten wir zwanzig Mark und zwanzig Pfennig eingenommen.

Was machen wir am nächsten Sonnabend?

Die Hausarbeit-Agentur

Im alten Schuppen in Fritzens Garten sassen zehn Mitglieder des Harmonia-Klubs. Das heisst, drei sassen auf einer Kiste, zwei holten Kohle, zwei bliesen in den Ofen, damit das Feuer brannte (denn es war kalt an diesem Mittwoch abend) und Fritz selber las eine alte Zeitung.

„Gib mir die Zeitung! Ich brauche sie für das Feuer!" sagte Ilse.

„Moment, ich zähle gerade die Inserate. Hier sind dreiundzwanzig Stellenangebote für Putzfrauen!"

„So", sagte Ilse. „Sag mal, Fritz, was bekommt eigentlich eine Putzfrau pro Stunde?"

Und so fing alles an.

Wir helfen doch in einem Altersheim, wie ihr schon wisst. Das Altersheim brauchte dringend einen neuen Fernsehapparat. Ein Fernsehapparat kostet rund 800 Mark.

„Du kannst anrufen, Fritz", sagte Ilse, „du hast die tiefste Stimme. Hier, wähle diese Nummer. Frau Schmidt braucht eine Putzfrau, einmal in der Woche drei Stunden. Wie nennen wir uns?"

„Die Harmonia Hausarbeit-Agentur", schlug ich vor.

Nach fünf Minuten kam Fritz strahlend zurück.

„Alles in Ordnung! Nächsten Mittwoch abend, nach der Schule, von sechs bis neun Uhr."

*   *   *

Am nächsten Mittwoch abend klingelten fünf von uns an der Tür einer Villa im Gartenviertel unserer Stadt. Frau Schmidt machte die Tür auf.

„Ich werde verrückt!" sagte Frau Schmidt.

„Sicher nicht, gnädige Frau", sagte Fritz höflich. „Wir haben alle — leider — viel Erfahrung mit Hausarbeit."

„Hoffentlich", seufzte Frau Schmidt. „Mein Mann erwartet mich in der Stadt. Ich muss euch allein lassen. Könnt ihr auch wirklich . . .? Ich muss sagen, ihr seht ganz vernünftig aus . . . Was für eine Idee!"

Endlich fuhr sie in ihrem kleinen Auto weg.

„Staubsauger heraus!" rief Ilse. "Besen, Eimer! Staubtuch! Bürsten! Los!"

Nach einer halben Stunde waren Küche, Bad und Schlafzimmer fertig. Wir fingen gerade mit dem Wohnzimmer an, da wurde Inge plötzlich still.

„Seht mal", sagte sie leise, „dieses Foto!"

Wir guckten das Foto an. Ein junger Mann mit seiner Braut am Hochzeitstag.

„Das Gesicht kenne ich eigentlich", sagte Hugo.

„Der Schlips mit den Eierflecken im Schlafzimmer kam mir auch bekannt vor", sagte Fritz.

„Und die alte Jacke, an der ein Knopf fehlt!"

„Und die braunen Schuhe mit den schwarzen Schnürsenkeln!"

Wir wurden blass.

„Seht mal nach — dort, auf dem Schreibtisch", flüsterte Fritz.

Ich sah nach. Jawohl, da lagen unsere Hefte. Herr Dr. Adalbert Schmidt, unser Schuldirektor, hatte sie noch nicht korrigiert.

„Na?" fing Fritz an.

„Na, gar nichts", sagte Ilse. „Wir machen unsere Arbeit so schnell wie möglich, dann machen wir, dass wir nach Hause kommen. Die Rechnung schicken wir."

★   ★   ★

„Ihre Bücher", sagte Herr Dr. Adalbert Schmidt in der Religionsstunde am nächsten Morgen, „habe ich noch nicht korrigiert."

Tiefe Stille.

„Ich musste nämlich gestern abend dringend ausgehen."

Schallendes Gelächter. Der arme Dr. Schmidt wurde rot.

„Ehrlich gesagt, gestern abend kam nämlich die neue Putzfrau und . . . Putzfrauen sind sehr reizbar!"

„Und wie, Herr Doktor!" rief Fritz. „Hat sie ihre Arbeit wenigstens gut gemacht?"

„Ausgezeichnet!" antwortete Dr. Schmidt.

Er ist jetzt unser bester Kunde!

Hundeschau

„Hunde! Hände hoch für Hunde, bitte! Aha, sechs Stimmen. — Katzen! Hände hoch für Katzen. Nur vier Stimmen. Und du, Karl?"

„Ameisen sind interessanter als Hunde oder Katzen."

„Dummkopf! Eine Ameisenschau! Das wäre ja noch schöner!"

„Warum nicht? Ameisen sind intelligente, gut disziplinierte Tiere . . ."

Wir machten also eine Hundeschau. Eintritt 50 Pfennig. Das Geld war wie üblich für die alten Damen und Herren im Altersheim. Sie brauchtes Blumen für ihren grossen Garten.

„Welche Hunde bekommen denn Preise?" fragte Ilse.

„Die Schönsten", sagte Fritz.

„Die Hässlichsten", sagte Ursel.

„Die Intelligentesten", sagte Hugo.

„Die Nettesten", sagte Ilse.

„Nein, nein, so macht man das nicht", sagte ich. „Der Grösste und der Kleinste müssen Preise bekommen. Karl, du kannst gut malen. Mache ein paar grosse Plakate. Darauf schreibst du . . . warte mal . . . HUNDESCHAU natürlich. Dann *Eintritt* 50 *Pfennig*. Und dann, was prämiert wird. Dann schreibst du ganz gross, wo unsere Hundeschau stattfindet."

„Wo findet sie denn statt?" fragte Hugo.

„Wer hat einen grossen Garten? Du, Hugo."

„Mein Vater würde mich umbringen! Er verjagt schon jede Katze, die es wagt, eine Pfote in den Garten zu setzen!"

Niemand sprach. Wir wohnen beinah alle in Wohnungen ohne Garten.

„Na, Ilse, wie wäre es mit einer von deinen guten Ideen?"

Glücklicherweise hatte Ilse auch eine besonders gute. Hugo übrigens auch.

★   ★   ★

Der übernächste Sonntag war ein richtiger Frühlingstag. Als wir nach dem Frühstück im Altersheim ankamen, hatten die alten Herren beinah alles fertig gemacht. Der alte Herr Seifert war schon seit sechs Uhr auf den Beinen. Er zeigte uns stolz, was sie in dem grossen Garten vorbereitet hatten. Für die Besucher gab es überall Gartenstühle; für die Hunde hatten die alten Herren ein grosses Stück Rasen eingezäunt.

„Die Damen haben auch Kuchen gebacken", sagte Herr Seifert, „und für die Hunde hat uns der Fleischer zehn Pfund Knochen geschenkt. Es gibt Wassernäpfe für die Hunde und Kaffee für die Besitzer!"

Die alten Herren und Damen hatten alles wunderbar organisiert.

Um zwei Uhr, als es anfangen sollte, warteten mindestens dreissig Leute mit ihren Hunden vor dem Gartentor. Der Lärm war furchtbar, liess aber sofort nach, als die alten Herren jedem Hund einen Knochen gaben. Das regte die Leute an, die frischgebackenen Kuchen zu kaufen. Die Stimmung war ausgezeichnet und die Preisrichter gingen bald an die Arbeit.

Der grösste Hund war der Schäferhund des Fleischers.

Der hässlichste Hund hiess Wilhelmina und gehörte unserem Mathematiklehrer. Sie hat einen kurzen Schwanz wie ein Ferkel, ein langes und ein kurzes Ohr, ein graues und ein blaues Auge, und wenn sie bellt, ist es, als ob ein Ferkel quiekte.

Wilhelmina hat auch den zweiten Preis für den *nettesten Hund* gewonnen.

In einer Ecke sass ein merkwürdiger Hund mit einer grossen roten Schleife. Alle Kinder standen um ihn herum. Vor ihm war eine Geldbüchse und ein Plakat:

WIE HEISST DIESER HUND?
DREIMAL RATEN KOSTET 10 PF.
DREI MARK FÜR DIE RICHTIGE ANTWORT!

Um sechs Uhr war alles vorbei. Der alte Herr Seifert ging zu dem merkwürdigen Hund mit der roten Schleife, der gerade ein Stück Wurst frass und schüttelte ihm die Pfote.

„Hugo, du bist ein kluger Hund!" sagte er und drehte die Geldbüchse um. „Fünfzehn Mark hat euer Harmonia-Klub für Blumensamen verdient. Unser Garten wird herrlich aussehen!"

Was ist mit Frau Frühtag passiert?

„Du hast also an ihre Tür geklopft, Kurt? Und dann? Erzähl doch weiter."

„Ich hab also durch das Schlüsselloch geguckt. Nichts."

„Das geschieht dir recht", sagte Ilse.

„Ach, Ilse, ich muss doch wissen, was los ist. Es ist schon der dritte Sonnabend, an dem sie nicht an die Tür gekommen ist."

„Na, also? Weiter!"

„Also, ich hab so laut wie ich konnte durch das Schlüsselloch gerufen: ‚Frau Frühtag! Zeitungsjunge! Neun Mark sechzig!'"

„Und?"

„Nichts. Keinen Ton."

„So eine alte Dame", fing Ilse an, „die ganz alleine lebt . . . Wir sollten mal hingehen und nachsehen."

„Vielleicht ist sie krank."

„Sie verhungert."

„Sie liegt gefesselt in der Küche und versucht die Stricke durchzubeissen, aber vergeblich."

„Vielleicht ist sie tot?"

„Du liest zuviel Zeitung", sagte Karl. „Aber mal nachsehen können wir ja."

Wir nahmen also unsere Räder und fuhren zu Frau Frühtag. Sie hat ein kleines Häuschen mit rotem Dach,

43

weissen Gardinen an allen Fenstern, Gemüsegarten, Hundehütte (leer) und Apfelbaum. Wir lehnten unsere Räder an die Mauer, gingen an die Tür, klopften. Keine Antwort. Ilse spähte durch die Gardinen.

„Die Kuckucksuhr steht auf halb zwölf", berichtete sie, „und jetzt ist es sechs Uhr abends."

„Das hat nichts zu bedeuten", sagte Karl. „Lass doch die alte Frau in Ruhe!"

„Wir sollten die Polizei benachrichtigen", sagte Kurt. „Ich fühle mich verantwortlich."

„Erstmal", sagte Ilse, „gehen wir um das Haus herum und sehen nach, ob irgendwo ein Fenster offen ist. Dann klettert Kurt hinein . . ."

„Wieso ich?" fing Kurt an. „Wenn uns jemand sieht . . ."

Ein Nachbar kam den Gartenweg entlang.

„Entschuldigen Sie", sagte Ilse, „wir wollten Frau Frühtag besuchen. Sie scheint nicht zu Hause zu sein."

„Ich wollte ihre Leiter borgen", sagte der Nachbar. „Sie ist also nicht da?"

„Wir glauben, sie ist krank", sagte Ilse.

Der Nachbar rüttelte an den Fenstern, aber die waren fest zu. „Ich will mal bei den anderen Nachbarn nachfragen", sagte er, „ob irgend jemand Frau Frühtag in den letzten Tagen gesehen hat."

Er ging und fragte. Die Nachbarn kamen mit.

Wir fünf und die Nachbarn mit ihren Kindern, das waren zehn Personen, die in Frau Frühtags Garten standen und ihre Haustür anstarrten. Der Briefbote kam dazu und der Strassenfeger. Niemand hatte Frau Frühtag gesehen.

„Die arme, alte Frau", sagte Kurt.

„Alt?" sagte der Briefbote. „So Ende zwanzig!"

„Nein, nein", sagte der Nachbar. „Sie hat graue Haare. Sie ist doch Grossmutter!"

„Sie hat braune Haare", sagte die Nachbarin.

„So dunkelblond. Mitte vierzig ist sie."

„Ich glaube, sie liegt ohnmächtig irgendwo im Haus", sagte Ilse, „während wir über ihre Haarfarbe streiten."

„Gut", sagte der Nachbar, „gehen wir zur Polizei."

„Ich schlage eine Fensterscheibe ein", sagte Kurt plötzlich. Er suchte einen Stein.

Mehr Leute kamen von der Strasse dazu. Eine Frau fragte, was los sei. Niemand antwortete ihr. Wir sahen wie gebannt auf das Fenster. Was würden wir vorfinden? Kurt kam mit einem Stein zurück. Wir hielten den Atem an. Kurt warf den Stein.

Gerade in diesem Augenblick hielt ein Taxi vor dem Garten. Eine Frau stieg aus.

„So!" sagte sie empört zu Kurt. „Jetzt kannst du mit mir hineingehen und die Glassplitter vom Teppich fegen. Du bist doch der Zeitungsjunge? Was ist denn hier los? Ist ein Unglück geschehen?"

„Nein, Frau Frühtag", sagte Kurt langsam, „wir dachten, vielleicht liegen Sie ohnmächtig oder gefesselt . . . auf dem Boden . . . in der Küche . . . und da wollten wir alle . . ."

Frau Frühtag war sehr gerührt. „Ich wusste gar nicht, dass ich so viele Freunde habe", sagte sie und bedankte sich bei allen vielmals. Sie war auf Besuch bei ihrer Schwester in Hannover gewesen . . .

Übrigens ist Frau Frühtag ungefähr dreissig und hat rote Haare!

Das Grab im Heidekraut

„Siebzehn Mark zwölf . . . siebzehn Mark dreizehn . . .‟ zählte Ursel. Die Klubmitglieder gähnten.

„Was machen wir damit?‟ fragte Ursel.

„Theaterkarten?‟ schlug Kurt vor.

„Ach, nein‟, sagte Ilse, „es ist April, der Frühling ist da, die Sonne scheint — wir wollen hinaus aufs Land!‟

„Ohne mich‟, sagte Karl. „Von frischer Luft bekomme ich Kopfweh. Ich sitze lieber auf einem bequemen Sofa und lese ein gutes Buch.‟

Am nächsten Sonntag sass Karl bequem an einen Hügel angelehnt und las ein gutes Buch: „*Lüneburg und Umgebung.*‟ Wir sassen um ihn herum. Unsere Rucksäcke lagen auf der Erde.

„ . . . die typischen Farben der Lüneburger Heide‟, las Karl, „sind Rosa, Weiss und Dunkelgrün. Das rosa Heidekraut wächst überall, hier und da gibt es weisse Birken und dunkelgrünen Wacholder. In alten Zeiten gingen Leute nicht gerne über die Heide. Sie glaubten, dass Räuber auf der einsamen . . . Au! Wer hat mich gestossen?‟

„Ein Schaf‟, sagte Fritz, „mit seiner schwarzen Nase. Sieh dich um, es sind ungefähr zweihundert hinter uns.‟

„Die müssen im Buch stehen‟, sagte Karl. „Aha! Sie

heissen Heidschnucken und sind eine sehr alte Schafrasse. — Übrigens, wir sitzen auf einem Hünengrab!"

„Ein Grab!" Ilse und Ursel sprangen auf.

„Die Hünen sind schon lange tot", fing Karl an. „In
diesem Buch . . ."

„Dieses Grab ist aber nicht alt", sagte Fritz plötzlich.

„Wieso?" fragte ich.

Alle standen auf. Fritz hatte recht. Wir sahen einander
an, stumm wie die schwarznasigen Heidschnucken. Kein
Mensch war weit und breit auf der Lüneburger Heide
zu sehen — nur Schafe, Birken, Wacholder und Heidekraut.

„Ein neues Grab", sagte Fritz langsam. „Na, Ilse, wie
ist es mit einer von deinen Ideen?"

Wir nahmen unsere Rucksäcke und gingen weiter.
Erst langsam, dann immer schneller. Räuber . . . ein
neues Grab . . . Dann kamen wir zu einem Feld, nicht
weit von einem einsamen Hof. Ein Spaten lag im Feld.
Ohne ein Wort zu sagen, nahm Ilse den Spaten und
ging zurück.

„Aber Ilse", sagte Karl, „sollten wir nicht die
Polizei benachrichtigen? Oder einen Bauern?"

„Nein", rief Ilse. Wir liefen hinter ihr her.

Das „Hünengrab" lag im Abendsonnenschein. Die
Heidschnucken weideten ruhig. Wie vor einer Stunde
war weit und breit kein Mensch zu sehen. Karl nahm
Ilse den Spaten aus der Hand und machte sich daran,
das Hünengrab auszugraben.

★   ★   ★

Zwei Stunden später sassen wir in einem Polizeiauto,
auf der Hauptstrasse nach Lüneburg. Wieso? Der
Bauer von dem einsamen Hof, dessen Spaten wir
genommen hatten, war uns gefolgt und hatte dann die
Polizei angerufen.

„Sehr verdächtig", sagte der Wachtmeister in Lüneburg zu uns mit strenger Stimme. Auf der Heide gruben drei Polizisten weiter. Spät am Abend klingelte das Telefon in der Polizeiwache.

„Ja, die Jungen und Mädchen haben schon recht. Wir haben zwanzig gestohlene Gewehre gefunden. Belohnung? Wahrscheinlich . . ."

Wir wurden freigelassen. Karl interessiert sich jetzt sehr für frische Luft und besonders für Hünengräber.

Die Schnitzeljagd

„Sehr geehrte Damen und Herren, einen Moment Ruhe, bitte!" rief Karl.

Niemand hörte ihn. Ein Junge kletterte gerade mit der grossen, weissen Fahne (einem alten Laken) auf einen Baum. Auf der Fahne stand HARMONIA-KLUB in grossen, roten Buchstaben.

„Ruhe!" rief Karl. Es gab einen Schuss. Tiefe Stille.

„Sehr geehrte Damen und Herren", sagte Karl, „ich bitte um Ruhe. Darf ich mal alle Eintrittskarten sehen? Hände hoch, bitte, wer noch keine hat. Ich zähle noch einmal . . . siebzehn, neunzehn . . . dreiundzwanzig. Noch eine Karte? Eine Mark, bitte. Alles Geld geht an das Rote Kreuz, ausser den paar Mark für die Preise, natürlich. Bitte, wollen Sie noch eine kleine Viertelstunde Geduld haben, dann geht es los. Ich werde dreimal schiessen und sage fünf Minuten vorher Bescheid."

„Fabelhaft!" sagte Ilse. „Du sprichst wie ein Lehrer."

„Viel besser", sagte Kurt. „Er wird ja auch Kaufmann."

„Wie lange ist Fritz schon weg?"

„Eine halbe Stunde. Er braucht eine Dreiviertelstunde, auch wenn er schnell radelt. Dann muss er noch ein gutes Versteck für die Luftpumpe finden."

„In fünf Minuten fängt die Jagd an." Karl nahm sein

Luftgewehr und zielte in die Luft. Die vierundzwanzig Jungen und Mädchen, die Karten gekauft hatten, schoben ihre Räder auf die Landstrasse, wo Ilse einen weissen Strich mit Kreide gezeichnet hatte. Zwölf kamen in die erste, zwölf in die zweite Reihe. Eine weissliche Spur — Sägemehl — lag hier und da auf der Landstrasse, soweit man sehen konnte. (Die traditionellen Papierschnitzel werden vom Förster nicht gern gesehen!)

„Also, noch einmal", sagte Karl, „erkläre ich Ihnen, meine Damen und Herren, was eine Schnitzeljagd ist. Sie folgen der Spur, die, wie Sie schon sehen, zuerst die Landstrasse entlang führt. Dann geht sie ab, durch den Wald und so weiter. Am Ende der Spur liegt eine Luftpumpe — gelb und schwarz — versteckt. Wer sie findet und mir überreicht, bekommt den Siegeskranz."

„Den was?" rief eine Stimme.

„Den Preis", antwortete Karl mit Würde. „Achtung! Ich schiesse!"

Beim dritten Schuss ging so eine Staubwolke hinter den Rädern in die Luft, dass wir fünf Minuten nichts sehen konnten. Danach sahen wir die letzten Radler, die am Waldrand angekommen waren. In einer Minute waren sie weg. Wir fünf Mitglieder des Harmonia-Klubs packten also unser Picknick aus und fingen an, über die Schnitzeljagd zu spekulieren. Wir sahen nochmal die Karte an.

„So", sagte Karl, „über den Bach, dann durch den Bauernhof, am Schutthaufen vorbei . . . wer kommt denn da?"

Ein Radler kam die Landstrasse entlang; er schien sehr müde und radelte langsam.

„Es ist Fritz", sagte Karl plötzlich. „Fritz! Was ist denn los?" Fritz stieg vom Rad ab und lehnte es an einen Baum, ohne zu sprechen. Dann nahm er ein Würstchen und eine Flasche Coca-Cola und legte sich ins Gras.

„Na, was ist denn los? Erzähl doch!"

„Lasst ihn in Ruhe", sagte Ilse, „er ist ja ganz erschöpft."

„Ich erzähle ja schon", sagte Fritz. „Ich hatte doch das Sägemehl in meiner Satteltasche. Alle zwei Minuten musste ich mich umdrehen, um eine Handvoll auf den Boden zu werfen. Na, nach einer halben Stunde fand ich das langweilig. Ich hab mir das Sägemehl in die Hosentaschen getan. Dann brauchte ich nur die Hand in die Hosentaschen zu tun, versteht ihr?"

„Ja, ja, natürlich. Also? . . ."

„Also, ich komme an den Bach, zieh mir die Schuhe und Socken aus, hebe das Rad auf meine Schultern und wate durch den Bach. Auf der anderen Seite trockne ich mir die Füsse mit meinem Taschentuch . . ."

„Beeil dich ein bisschen, Fritz. Was ist denn passiert?"

„Also, ich schwinge mich auf mein Rad, radle dreissig Meter, stecke die Hand in meine Hosentasche — nichts. In die linke Tasche — nichts. Keine Spur von Sägemehl."

„Versteh ich nicht", sagte Kurt.

„Ich aber", sagte Ilse. „Das heisst, ich habe eine Idee. Hier, steh auf, nimm diesen kleinen Stein und stecke ihn in die rechte Hosentasche. So. Siehst du, da liegt er auf der Erde. Nun versuch die linke Tasche. Da hast du es! Löcher in beiden Taschen!"

„Und wo hast du die Pumpe versteckt?"

„Das weiss ich eben nicht mehr", sagte Fritz traurig. „So eine schöne Schnitzeljagd . . . es tut mir furchtbar leid. Ich war so aufgeregt, dass ich schnell zu euch zurück wollte, um euch zu fragen, was wir jetzt machen sollen. Es tut mir wirklich furchtbar leid. Das Geld . . ."

„Das wird zurückgegeben", sagte Karl. „Das macht nichts, Fritz. Komm, wir radeln den anderen nach. Die suchen noch die Spur, da unten am Bach."

*   *   *

Als wir endlich unten am Bach ankamen, sassen unsere vierundzwanzig Schnitzeljäger mit den Füssen im Wasser, assen ihre Butterbrote und Apfelsinen und klatschten wie wild, als sie uns sahen. Fritz wollten sie ins Wasser werfen — aber er ging freiwillig. Die meisten anderen Jungen und Mädchen übrigens auch. Es war ein schöner, heisser Sonntagnachmittag. Wir haben uns alle gut amüsiert.

Und die Luftpumpe? Die hat Ilse gefunden. Sie steckte nämlich noch in ihrer Klammer an Fritzens Rad.

AUSFLUG ZUM TRÜBSEE

Frank erwachte und öffnete langsam die Augen. Durch die Fensterläden kam heller Lichtschein. Frank sprang aus dem Bett. Hurra, die Sonne!

Weit stiess er die Fensterläden auf. Tief unten sah er den Zuger See liegen, so blau wie noch nie.

„Was für ein herrlicher Tag", dachte Frank begeistert. „Und das am 1. August, unserem Nationalfeiertag!"

Wieder einmal war er recht zufrieden, dass sein Vater ihn ins Internat Montana hier auf dem Zugerberg geschickt hatte, wo es jedes Jahr während der grossen Ferien Sommerkurse gab. Es war übrigens sehr gemütlich auf dem Zugerberg. Morgens ein bis zwei Stunden Sprachunterricht, sonst nur Spiel, Sport und Vergnügen. Ausserdem gab es hier eine Menge interessanter Jungen — Engländer, Italiener, Deutsche, Amerikaner.

Schon im Waschraum ging es heute morgen ganz international zu. Als Frank den Raum betrat, sah er Rudolph, den rothaarigen Deutschamerikaner und Jürgen, den flinken Österreicher, gerade bei einer heftigen Handtuchschlacht. Und Orselli, der allzeit Kaugummi kauende Italiener, goss den beiden aus einem Zahnputzbecher Wasser über die Köpfe. Schon begann auch Frank sein Handtuch zu schwingen . . .

* * *

53

Eine halbe Stunde später sassen sie sehr friedlich zusammen mit den übrigen hundertfünfzig Ferienschülern an langen Tischen im Speisesaal und frühstückten. Natürlich gab es nur ein Gesprächsthema, den grossen Festtagsausflug ins Gebirge. Die Gruppe der Fünfzehn- bis Siebzehnjährigen, zu der auch Frank, Rudolph, Jürgen und Orselli gehörten, sollte mit dem Bus über Luzern zu dem berühmten Wintersportort Engelberg fahren und dann mit der Luftseilbahn zum Trübsee hinaufschweben.

Die Sonne stand schon hoch über dem Jochpass, als Frank, Jürgen und die anderen Jungen der Gruppe von einer Plattform neben der Trübsee-Seilbahnstation aus auf die kleinen Häuser von Engelberg hinunterblickten und die Bergriesen ringsum betrachteten. Es war sehr schwül geworden, und im Südwesten zogen einige dunkle Wolken herauf. Sportlehrer Köster verteilte das Taschengeld und mahnte in drei Sprachen: „Bitte seid in zwei Stunden wieder bei der Seilbahnstation! Wir müssen pünktlich zum Essen in Engelberg sein."

„Zwei Stunden, das reicht für einen Marsch um den See und zum Wasserfall", erklärte Frank. „Rudolph, Jürgen, Orselli, kommt ihr nun mit?"

Jürgen sah mit bedenklicher Miene zum Himmel. „Hm, könnte bald ein Gewitter geben."

„Gewitter? Von den paar Wölkchen? Spinner! Heute garantiert nicht. Aber du kannst natürlich gern bei deinen Mädchen bleiben oder Ansichtskarten schreiben."

*   *   *

Jürgen sah ärgerlich hinter den Dreien her. Hatte der Frank doch wieder gemerkt, dass er sich in der Seilbahn mit zwei deutschen Mädchen unterhalten hatte! Die Mädchen waren Schwestern und hatten von ihren Eltern die Erlaubnis bekommen, sich allein den Trübsee anzusehen. Flotte Bienen, besonders die ältere! Doch wo waren sie jetzt?

Suchend sah Jürgen zu dem kleinen, stillen See hinüber. Plötzlich zog er die Augenbrauen zusammen. Da unten am Seeufer waren sie ja, und Frank stand dabei und zeigte mit ausgestrecktem Arm in verschiedene Richtungen. Und nun — wahrhaftig, sie liessen sich überreden, mitzugehen!

Gekränkt drehte Jürgen sich um. Dabei aber streifte sein Blick wieder den Himmel. Er erschrak zutiefst. Im nächsten Augenblick rannte er, so schnell er konnte, hinter den Fünfen her.

„Donnerwetter!", dachte Jürgen im Laufen, „Gewitter hier in den Bergen, das kann schlimm werden!" Er musste die anderen warnen!

Plötzlich aber blieb er stehen. „Ich mach' mich ja lächerlich, wenn ich einfach hinterherrenne. Ich muss sie etwas später treffen — zufällig."

Gerade war Frank mit Rudolph, Orselli und den beiden Mädchen hinter einer Wegbiegung am rechten Ufer des Trübsees verschwunden. An dieser Uferseite war der kleine See nur von einigen flachen Hügeln umgeben. Dahinter fiel der Berg steil zum Tal von Engelberg ab. Über diese Hügel konnte Jürgen der Gruppe unauffällig folgen. Also los!

Bald war er am Fuss des nächsten Hügels. Schnell kletterte er einige Felsblöcke hinauf und lief in gebückter Haltung weiter.

*   *   *

„ . . . und da sagte der Elefant zu dem Standesbeamten . . ."

„Und die Hütte?" jammerte Rudolph. „Zwanzig Minuten sind wir schon unterwegs. Wo ist es denn endlich? He, Frank!"

Frank sah sich wütend um. Dieses Nilpferd von Rudolph! Gerade wollte er der lustigen Heike Eindruck mit seinem besten Witz machen. Die jüngere der beiden Schwestern gefiel ihm ausgezeichnet. Nun diese Störung!

„Du dumme Pflaume!" schimpfte er zurück.

„Hinter dem Hügel am Ende des Sees, hab ich gesagt. Siehst du nicht, dass wir gleich da sind? — Entschuldige, Heike, also, da sagte der Elefant zu dem . . ."

„Uno momento!" rief der kleine Orselli, der noch ein Stück hinter Rudolph war und zog sich umständlich einen Schuh aus. „Habe Stein in Schuh!"

„Ach, was seid ihr Jungen für Helden", grinste Gudrun spöttisch und setzte sich mit Heike auf einen Felsblock.

Frank überhörte die Bemerkung. „Also", sagte er und stellte sich vor Heike hin, „also, wie ich schon sagte: Da sagte der Elefant . . ."

Ein lautes Krachen und Brechen in einem Gebüsch am Hang oberhalb des Weges erschreckte sie. Im nächsten Augenblick rollte Jürgen den Abhang hinunter, den erstaunten Mädchen genau vor die Füsse. Etwas benommen stand er auf.

„Was für ein Zufall", grinste er verlegen. „Ich wollte da oben Vögel beobachten und verlor dabei das Gleichgewicht."

„Kannst du deiner Grossmutter erzählen!" sagte Frank wütend und beerdigte in aller Stille seinen Elefantenwitz.

„Red nicht so viel. Sieh dir lieber den Himmel an", sagte Jürgen kurz.

Alle sahen nach oben. Noch war der grössere Teil des Himmels blau. Doch im Südwesten hatte sich in den letzten Minuten eine grosse, schwarze Wolke zusammengeballt, die grösser wurde. Heike wurde blass und fasste Gudrun am Arm. Die ältere Schwester drückte ihr die Hand und sah Jürgen an; sie hatte Vertrauen zu ihm.

„Was sollen wir tun?" fragte sie.

„Ich würde ja weitergehen", antwortete Frank schnell und sah Heike so aufmunternd wie möglich an. „Aber wenn ihr solche Angsthasen seid wie Jürgen — bitte, wir können auch umkehren."

Ein plötzlicher Windstoss fuhr pfeifend durch die Büsche.

„Dazu ist es jetzt zu spät!" rief Jürgen energisch. „Los, Frank, führ uns zu deiner Hütte!"

Ohne ein weiteres Wort rannte Frank los, die anderen hinterher.

Die ersten dicken Regentropfen fielen, als Frank und Orselli die alte, verfallene Hütte erreichten. Dahinter keuchten Rudolph und Jürgen heran. Sie hatten jeder eines der Mädchen an der Hand genommen und beim Laufen gezogen.

Nun standen sie im Halbdunkel der Hütte. Draussen wurde der Regen stärker. Plötzlich erleuchtete ein flammendes Licht die Hütte taghell. Sekundenschnell folgte ein schreckliches Krachen, als ob die Welt zusammenstürzen würde. Dann brach der Regen los. Und wieder ein greller Blitz, und noch einer und dazwischen das Krachen. Verängstigt sassen die Jungen und Mädchen in der Hütte und hielten sich an den Händen.

Frau Behrmann sass in der Empfangshalle des Hotels „Schweizer Hof" und presste ihr tränenfeuchtes Taschentuch zwischen den Händen. Herr Behrmann und Herr Bucher, der Besitzer des „Schweizer Hofes", standen dabei und versuchten, sie zu beruhigen. Da kam Sportlehrer Köster aus dem Speisesaal.

„Endlich eine Spur!" rief er Behrmanns zu. „Alle Jungen aus der Stadt sind jetzt da. Wie Sie wissen, sind zwei Gruppen von Jungen ohne mein Wissen vorausgefahren, um in Engelberg noch spazierenzugehen. Bei keiner dieser Gruppen waren die Mädchen dabei. Zu meinem Schreck fehlen jetzt aber auch vier Schüler — Frank, Rudolph, Orselli und Jürgen. Einige Jungen erinnern sich nur, dass sie drei davon vor dem Gewitter am Seeufer gesehen haben. Und einer behauptet, es seien auch zwei Mädchen dabeigewesen..." „Meine Heike und Gudrun!" schluchzte Frau Behrmann und sprang auf. „Wir müssen sofort hinauf und suchen!"

„Das wird nicht ganz einfach sein", meinte Herr Bucher. „Die Seilbahn fährt jetzt nicht mehr. Es ist schon halb acht. Aber ich will es versuchen."

Sofort telefonierte Herr Bucher mit der Seilbahndirektion, der Polizei und mit dem *Trübsee Hotel* an der Trübsee-Seilbahnstation.

Schon eine Viertelstunde später raste ein Polizeiwagen mit zwei erfahrenen Beamten und mit Herrn Köster und

58

Herrn Behrmann zur Seilbahnstation. Dort wurden sie bereits erwartet. Die Direktion hatte eine Sonderfahrt genehmigt.

Als die Vier an der Trübseestation aus der Gondel kletterten, peitschte ihnen ein kalter Regen ins Gesicht. Frierend eilten sie zum *Trübsee Hotel* hinüber. Dort wurden sie schon von dem Sohn des Hotelbesitzers, der das Gelände genau kannte, und von zwei Hotelangestellten in wetterfester Kleidung erwartet.

„Gut", sagte Inspektor Hürlimann, der eine Polizeibeamte, „das erleichtert uns die Suche sehr. Gehen Sie links um den See herum. Wir gehen rechts herum. Wer etwas findet, gibt Lichtsignale." Dann klappten sie ihre Mantelkragen hoch, zogen die Hüte tief ins Gesicht und gingen los.

„Aber — hier war doch eine Brücke", sagte Inspektor Hürlimann verblüfft und liess die Taschenlampe über einer Stelle kreisen, wo er eine kleine Holzbrücke über den Bach vermutet hatte, der den Ausfluss des Trübsees bildete.

Nichts war da, nicht einmal die Spur einer Brücke. Der schmale Ausfluss dagegen hatte sich in einen breiten, reissenden Wildbach verwandelt.

„Wie kommen wir jetzt weiter?" fragte Herr Behrmann entsetzt und starrte in die dunkle Flut.

„Wir dachten uns schon, dass es hier ähnlich sein würde", sagte der Sohn des Hotelbesitzers und legte mit seinem Motorboot neben dem schäumenden Ausfluss am Seeufer an. „Drüben beim Einfluss ist sogar eine grosse Überschwemmung. Von den Felswänden schiesst das Wasser nur so herunter. Wir sind sofort zum Hotel zurückgegangen und haben das Boot geholt. Ich schätze, die Kinder sind vom Wasser auf beiden Seiten eingeschlossen worden. Meine Hoffnung ist, dass sie die alte Bauernhütte gefunden haben. Steigen Sie ein, wir fahren schnell um den Ausfluss 'rum."

Wenig später sprangen die Männer wieder an Land. Der Sohn des Hotelbesitzers rannte voraus, die Taschenlampe auf den felsigen Boden gerichtet. Plötzlich blieb er wie angewurzelt stehen. „Da!" rief er und zeigte nach vorn.

Ein schwacher Lichtschein drang durch die Dunkelheit und den Regen.

Sportlehrer Köster war als erster bei der alten Hütte.

Mit dem Fuss stiess er die Tür auf. „Herr Köster!" riefen Jürgen, Rudolph, Orselli und Frank wie aus einem Mund und sprangen von ihrer Feuerstelle in einer Ecke der Hütte auf. „Vati!" schrien Gudrun und Heike und fielen Herrn Behrmann schluchzend um den Hals.

„Na, alle da, soweit ich das sehen kann", freute sich Inspektor Hürlimann und holte tief Luft.

Alle Regenwolken waren wie weggefegt, und ein klarer Himmel wölbte sich über dem Tal von Engelberg, als der Sohn des Besitzers vom *Trübsee Hotel* und seine beiden Helfer sich an der Seilbahn verabschiedeten. Dann schwebte die Gondel hoch über den Tannenspitzen nach Engelberg hinunter.

Da flammte auf einem der Berggipfel ein Feuer auf und noch ein zweites und noch ein grosses im Tal. „Was ist das?" fragte Heike erschrocken. „Das sind die Freudenfeuer für unseren Nationalfeiertag", sagte Frank eifrig und fühlte sich wieder viel besser. „So ist das jedes Jahr, überall in der Schweiz." Alle genossen das Schauspiel der immer zahlreicher brennenden Feuer im Tal und auf den Bergen ringsum. Nur Jürgen dachte an etwas anderes. In seiner Hosentasche hielt er einen Zettel fest umklammert — Gudruns Heimatadresse.

UND JETZT EINIGE FRAGEN!

Der „Rote Blitz"

1 Was ist ein Seifenkistenrennen?
2 Warum brauchten Klaus und seine Freunde die Räder des Kinderwagens?
3 Manni und seine Bande bewarfen Sigrid mit Erde. Warum?
4 Was fanden die Freunde vor, als sie am Sonntag zum Gartenhaus kamen?
5 Wer hat die beiden Rennwagen kaputtgemacht?
6 Wie schlossen Klaus und Manni Freundschaft?
7 War auch ein „Fremder" unter den Teilnehmern am Seifenkistenrennen?
8 Von wem hatte Rudi Altig die Jacke?
9 Wem gehörte der Rennwagen der „Rote Blitz"?
10 Du bist Berichterstatter für den Rundfunk. Beschreibe das Einbecker Seifenkistenrennen.

Zollhund Ajax

1 Wo liegt Schleching?
2 Was für ein Hund war Ajax?
3 Was sah Obermaier durch sein Fernglas?
4 Wann liess Obermaier seinen Hund los?
5 Warum hatte Ajax den Schmuggler laufen lassen?
6 Was sagte Frau Ammer zu den Zollbeamten?
7 Was warf Ammer aus dem Fenster?
8 Was fand Gruber hinter der Rückwand der Hütte?
9 Woher hatte Ammer das Schmuggelgut?
10 Beschreibe einen Hund, den du gut kennst.

Günter erholt sich

1 Warum sollte Günter aufs Land?
2 Warum wollte Günter nicht zu Tante Hanna oder zu Frau Zimmermann gehen?
3 Was war merkwürdig an Onkel Friedrichs Brief?
4 Was tat Günter während der Reise zu Onkel Friedrich?
5 Wen traf Günter in Beringersmühle?

6   Was erzählte der alte Mann über Onkel Friedrich?

7   Wo hatte Günter Kochen gelernt?

8   Freute sich Günter, bei seinem Onkel zu sein? Wie verbrachte er die Zeit?

9   Warum war Onkel Friedrich den ganzen Tag nicht zu Hause?

10   Onkel Friedrich sammelte alte Knochen. Was sammelst du? Beschreibe deine Sammlung.

Der Harmonia-Klub

1   Wo trafen sich die Mitglieder des Harmonia-Klubs?

2   Was hatten die Jungen und Mädchen zum Schlittschuhlaufen an?

3   Was braucht man zum Saubermachen?

4   Was lag auf dem Schreibtisch von Dr. Adalbert Schmidt?

5   Welcher Hund war der hässlichste? Wie sah er aus?

6   Wodurch hat Kurt gemerkt, dass Frau Frühtag nicht da war?

7   Warum schlug Kurt eine Fensterscheibe ein?

8   Was fanden die Polizisten im „Hünengrab"?

9   Warum war das Sägemehl auf einmal weg?

10   Beschreibe eine Schnitzeljagd.

Ausflug zum Trübsee

1   Warum war Frank so begeistert, als er am 1. August morgens aufwachte?

2   Wo liegt das Internat Montana?

3   Woher kamen die Jungen, die an dem Sommerkurs teilnahmen?

4   Wie verbrachten sie ihre Zeit?

5   Wohin wollte Frank in den zwei Stunden gehen?

6   Warum erschrak Jürgen, als er den Himmel ansah?

7   Warum wollte Jürgen die anderen „zufällig" treffen?

8   Wohin rannten die jungen Leute als das Gewitter losbrach?

9   Wo hatte man die beiden Mädchen und drei der Jungen zuletzt gesehen?

10   Würdest du gern in eine Internatschule gehen? Warum?

WÖRTERVERZEICHNIS

A

der **Abend** *the evening*
  abends *in the evening*
das **Abendbrot,** das **Abendessen**
  supper
der **Abendsonnenschein** *the evening sunshine*
  aber *but*
    ich **aber** *but I do*
  abfahren *to move off*
  abfallen *to fall away*
  abgehen *to branch off*
der **Abhang** *the slope*
  abheben *to take off*
  abholen *to come to meet, collect*
  abnehmen *to take off, remove*
  abschliessen *to lock*
  abschneiden *to cut off*
  abseits *aside, set apart*
der **Abstand** *the distance*
  absteigen *to get off*
  abstellen *to leave*
  absuchen *to search*
die **Achse** *the axle*
  achten auf *to pay attention to*
  Achtung! *attention! hey! look!*
die **Agentur** *the agency*
  ähnlich *similar*
  alle *all, every*
    alles *everything*
  allein *alone*
  allerdings *it must be admitted*
  allzeit *always*
  als *when; than*
    als ob *as if*
  also *so, therefore*
  alt *old*
das **Altersheim** *the old people's home*
die **Ameise** *the ant*
der **Amerikaner** *the American*
  amerikanisch *American*
sich **amüsieren** *to amuse oneself*
  an *to, on, against*

  anbellen *to bark at*
  andere *other*
  anerkennen *to approve*
  anfangen *to begin*
  anfeuern *to encourage*
die **Angst** *fear*
  Angst haben *to be afraid*
der **Angsthase** *the coward*
  angstvoll *fearful(ly)*
  angucken *to look at*
  ankommen *to arrive*
  anlegen *to put in*
  anlehnen *to lean*
  anmalen *to paint*
  anprobieren *to try on*
  anregen *to stimulate*
der **Anruf** *the (telephone) call*
  anrufen *to call up, telephone*
der **Ansager** *the announcer*
  ansehen *to look at*
die **Ansichtskarte** *the picture postcard*
  anstarren *to stare at*
  anstellen *to turn on*
die **Antwort** *the answer*
  antworten *to answer*
  anwurzeln *to take root*
    wie **angewurzelt** *rooted to the spot*
  anziehen *to clothe*
sich **anziehen** *to dress, get dressed*
  anzünden *to light*
der **Apfelbaum** *the apple-tree*
die **Apfelsine** *the orange*
die **Arbeit** *the work*
  arbeiten *to work*
die **Arbeitsjacke** *the work-jacket*
  ärgerlich *angry, angrily*
  arm *poor*
der **Arzt** *the doctor*
die **Asphaltstrasse** *the asphalt road*
der **Atem** *breath*
  Atem holen *to draw breath*
  den **Atem** anhalten *to hold one's breath*
  atemlos *breathless(ly)*
  auch *also, too*
  auf *on, in, at, to, onto*
  aufbrechen *to break open*

auffallen *to catch the eye, stand out*
aufflammen *to flare up*
aufgeben *to give up*
aufheben *to lift up, pick up*
aufhören *to end, cease*
aufmachen *to open*
  sich **aufmachen** zu *to set out on*
  in grosser **Aufmachung** *in flaring headlines*
die **Aufmerksamkeit** *the attention*
aufmuntern *to encourage*
aufpassen *to watch, pay attention*
aufregen *to excite*
die **Aufregung** *excitement*
aufreissen *to tear open*
aufspringen *to spring up*
aufstehen *to stand up*
aufstossen *to fling open, push open*
auftreten *to enter (theatrical)*
das **Auge** *the eye*
der **Augenblick** *the moment*
die **Augenbraue** *the eyebrow*
ausbilden *to train*
der **Ausbrecher** *the jailbreaker*
der **Ausflug** *the excursion, trip*
der **Ausfluss** *the outlet*
ausgehen *to go out*
ausgezeichnet *excellent(ly), great(ly)*
ausgiessen *to pour out, empty*
ausgraben *to excavate*
sich **auskennen** *to know the ropes*
der **Ausläufer** *the foothill*
auspacken *to unpack*
ausreiben *to rub out*
das **Ausscheidungsrennen** *the eliminating heat*
ausschreiben *to announce*
aussehen *to appear, look*
aussen *outside*
ausser *except*
ausserdem *besides, moreover*
ausserhalb *outside*
aussteigen *to get out*
ausstrecken *to stretch out*
aussuchen *to choose*
ausziehen *to take off*

das **Auto** *the car*
der **(Auto)bus** *the bus*
der **Automechaniker** *the (car) mechanic*

B

der **Bach** *the stream, brook*
backen *to bake*
das **Bad** *the bath(room)*
der **Bahnsteig** *the platform*
bald *soon*
die **Bande** *the gang*
die **Bank** *the bench*
der **Bär** *the bear*
der **Bärenknochen** *the bear's bone*
das **Bärenskelett** *the bear's skeleton*
basteln (an) *to work at (a hobby), construct*
der **Bau** *the construction*
bauen *to build, construct*
der **Bauer** *the farmer*
das **Bauernhaus** *the farm-house*
der **Bauernhof** *the farm, farmstead*
die **Bauernhütte** *the peasant's hut*
der **Baum** *the tree*
das **Bayern** *Bavaria*
der **Beamte** *the official, officer*
beantworten *to answer*
sich **bedanken** (bei) *to express one's thanks (to)*
bedecken *to cover*
bedenklich *doubtful*
bedeuten *to mean*
sich **beeilen** *to hurry up*
beerdigen *to bury*
begehrt *sought after*
begeistert *enthusiastic(ally)*
beginnen *to begin*
begraben *to bury*
behalten *to keep*
behaupten *to maintain*
bei *at, by, near*
beide *both*
das **Bein** *the leg*
beinah(e) *nearly*
beisammen *together*
bekannt *(well-)known*

bekanntgeben *to make known*

bekommen *to get, have, receive; to catch (an illness); to manage*

bellen *to bark*

die **Belohnung** *the reward*

bemerken *to notice*

die **Bemerkung** *the remark, observation*

benachbart *neighbouring*

benachrichtigen *to notify*

benommen *dizzy*

das **Benzin** *petrol*

beobachten *to watch, study*

bequem *comfortable, comfortably*

beraten *to discuss*

bereits *already*

der **Berg** *the mountain*

der **Berggipfel**, die **Bergspitze** *the mountain peak*

der **Bergriese** *the huge mountain*

der **Bericht** über . . . *the report of . . .*

berichten *to report*

der **Berichterstatter** *the reporter*

der **Beruf** *the profession, occupation*

beruhigen *to soothe, calm*

berühmt *famous*

beschämt *ashamed(ly)*

Bescheid sagen *to give warning*

beschreiben *to describe*

sich (etwas) **besehen** *to have a look at (something)*

der **Besen** *the broom*

der **Besitzer** *the owner*

besondere(-r,-s) *extraordinary, special*

besonders *especially*

besprechen *to discuss, talk over*

besser *better*

bestehen *to consist*

bestimmt *definite(ly), certainly*

bestrafen *to punish*

der **Besuch** *the visit*

besuchen *to visit, come to see*

der **Besucher** *the visitor*

die **Beteiligung** *the participation, the number of people taking part*

betrachten *to look at*

betreten *to enter*

das **Bett** *the bed*

bevor *before*

sich **bewegen** *to move, stir*

bewerfen *to pelt*

die **Biene** *the bee; (slang) the girl*

bilden *to form*

die **Birke** *the birch tree*

bis *till, until*

ein **bisschen** *a bit, a little*

bitte *please*

bitten (um) *to ask (for)*

blasen *to blow*

blass *pale*

blau *blue*

bleiben *to remain, stay*

der **Blick** *the glance*

der **Blitz** *lightning; the flash*

blitzend *flashing*

die **Blume** *the flower*

der **Blumensamen** *the flower seed*

der **Boden** *the ground*

borgen *to borrow*

die **Bratkartoffel** *the sauté potato*

brauchen *to need, want; to use*

die **Braut** *the bride*

das **Brechen** *the breaking noise*

breit *wide*

brennen *to burn*

der **Brief** *the letter*

der **Briefbote** *the postman*

bringen *to bring*

das **Brot** *the bread*

die **Brücke** *the bridge*

der **Bruder** *the brother*

brüllen *to roar*

das **Buch** *the book*

der **Buchstabe** *the letter*

sich **bücken** *to bend, bend down*

bunt *many-coloured*

das **Büro** *the office*

die **Bürste** *the brush*

der **Busch** *the bush*

die **Büsche** (pl.) *the coppice, underwood*

das **Butterbrot** *the slice of bread and butter*

C

der **Chef** *the chief, boss*

D

da *there; then*
dabei *thereby; nearby*
  dabeisein *to be there, to be of the party*
das **Dach** *the roof*
der **Dachboden** *the loft*
dagegen *however*
daher *from there*
dahinter *behind (it)*
damals *at that time*
die **Dame** *the lady*
damit *in order that; with it, in it*
dämmern *to dawn*
danach *then, after that*
danken *to thank*
dann *then*
daran *at it, in it, to it*
darauf *on it (them); for that*
  gleich **darauf** *immediately (afterwards)*
darin *inside (it)*
darüber *about (it)*
darum *about that*
dass *that*
davon *of it (them, us, etc.)*
dazu *for that*
dazukommen *to appear on the scene, come along*
dazwischen *in between*
die **Decke** *the blanket*
denken *to think*
denn *then; because*
deshalb *on that account, therefore*
dessen *whose, of which*
deuten auf *to point to*
deutlich *distinct(ly)*
deutsch *German*
der **Deutsche** *the German*
dicht *close*
dick *stout(ly); fat*
der **Dieb** *the thief*
der **Diebstahl** *the theft*
der **Dienst** *the duty, spell of duty*
die **Dienststelle** *the office*

der **Dienstweg** *the beat (of a Customs or Police official)*
der **Dienstwagen** *the official car, official vehicle*
diesmal *this time*
das **Ding** *the thing*
die **Direktion** *the management*
diszipliniert *disciplined*
doch *yet (emphatic); but, all the same*
Donnerwetter! *I say! fancy that!*
doppelt *double*
das **Dorf** *the village*
dort *there*
draussen *outside; out of doors*
die **Dreiviertelstunde** *three-quarters of an hour*
dressieren *to train*
dringend *urgent(ly)*
drinnen *inside*
dritte *third*
drüben *over there*
drücken *to press*
dumm *stupid*
der **Dummkopf** *the blockhead*
dunkel *dark*
dunkelblond *light brown (of hair)*
die **Dunkelheit** *the darkness*
durch *through*
durchdrängen *to penetrate*
durchsehen *to look through; to search*
dürfen *to be allowed*

E

eben *just*
ebenfalls *likewise*
die **Ecke** *the corner*
eher *rather, more like*
ehrlich *honest(ly)*
  ehrlich gesagt *to speak frankly*
das **Ei** *the egg*
eifrig *eager(ly)*
eigen *own, one's own*
eigentlich *actually*
eilen *to hurry*
der **Eimer** *the bucket*

einander *each other*

Die „**Einbecker Morgenpost**" *the "Einbeck Morning Post" (a newspaper)*

der **Einbrecher** *the burglar*

der **Einbruch** *the burglary*

Eindruck machen *to make an impression*

eindrücken *to push in*

einfach *simple, simply*

der **Einfluss** *the point where a stream enters a lake*

einige *some, a few*

in **einigem** Abstand *at some distance*

einkaufen *to buy; to shop*

das **Einkaufen** *shopping*

einladen *to invite*

die **Einladung** *the invitation*

einmal *once*

noch **einmal** *again*

auf **einmal** *suddenly*

nicht **einmal** *not even*

erst **einmal** *first of all*

einnehmen *to take, take in*

einsam *lonely*

einschlagen *to smash*

einschliessen *to surround*

einstecken *to post*

einsteigen *to get in*

der **Eintritt** *the admission*

die **Eintrittskarte** *the ticket*

einverstanden *agreed*

einzäunen *to fence in, fence off*

die **Einzelheit** *the detail*

einzig *only*

das **Eis** *the ice*

die **Eiszeit** *the ice-age*

eiszeitlich *of the ice-age*

der **Elefantenwitz** *the elephant joke*

elend *miserable, miserably*

die **Eltern** (pl.) *the parents*

die **Empfangshalle** *the foyer, entrance hall*

emporstarren *to stare up*

empört *shocked, angered*

das **Ende** *the end*

lezten **Endes** *in the end*

endgültig *final(ly), definite(ly)*

endlich *finally, at last*

energisch *energetic(ally)*

eng *narrow*

der **Engländer** *the Englishman*

entdecken *to discover*

entfernt *distant, away*

entfliehen *to escape*

entlang *along*

die **Entscheidung** *the decision*

das **Entscheidungsrennen** *the final heat, final race*

entschuldigen *to excuse*

entsetzen *to horrify*

erbittert *fierce*

die **Erde** *the earth, ground*

der **Erdklumpen** *the lump of earth*

erdrücken *to overwhelm*

sich **ereignen** *to happen*

erfahren *experienced*

die **Erfahrung** *experience*

der **Erfolg** *success*

erfolgreich *successful*

erhalten *to receive, get*

sich **erholen** *to recover, recuperate*

sich **erinnern** *to remember*

erkennen *to make out, recognize*

erklären *to declare; to explain*

die **Erlaubnis** *the permission*

erleichtern *to relieve; to make easier*

erleuchten *to illuminate*

erregen *to excite*

erreichen *to reach*

erschöpfen *to exhaust*

erschrecken *to take fright; (also to frighten)*

erst *only*

das **Erstaunen** *astonishment*

erstaunlich *astonishing(ly)*

erstaunt sein *to be astonished*

erste(-r, -s) *first*

erstmal *first(ly)*

erwachen *to wake up*

erwarten *to wait for, expect*

erzählen *to tell*

essen *to eat*

das **Essen** *the meal, food*

etwa *about*

etwas *something; rather*

F

fabelhaft *fabulous*
die **Fahne** *the flag*
fahren *to travel, go, ride, drive; to blow (of the wind)*
der **Fahrer** *the driver*
das **Fahrrad** *the bicycle*
fangen *to catch*
die **Farbe** *the paint; the colour*
der **Farbpinsel** *the paint-brush*
fassen *to seize*
sich **fassen** *to collect oneself*
fassungslos *bewildered*
fast *almost*
die **Faust** *the fist*
fegen *to sweep*
fehlen *to be missing*
feierlich *solemn(ly) (of celebrations, etc.)*
feig(e) *cowardly*
das **Feld** *the field*
der **Felsen** *the cliff*
der **Felsblock** *the boulder*
die **Felswand** *the rock wall*
felsig *rocky*
das **Fenster** *the window*
der **Fensterladen** *the shutter*
die **Fensterscheibe** *the window-pane*
die grossen **Ferien** *the summer holidays*
der **Ferienschüler** *the holiday pupil*
das **Ferkel** *the piglet*
fern *far (away)*
das **Fernglas** *the binoculars*
der **Fernsehapparat** *the television set*
fertig *ready*
fertigmachen *to prepare*
fesseln *to tie up*
fest *firm(ly)*
der **Festtagsausflug** *the holiday excursion*
das **Feuer** *the fire*
die **Feuerstelle** *the fire-place*
fieberhaft *feverish(ly)*
flach *flat-topped*
flackern *to flicker*
die **Flasche** *the bottle*
der **Fleck** *the stain*
der **Fleischer** *the butcher*
fliessen *to flow*

flink *quick, agile*
flott *smart*
die **Fluchtnacht** *the night of the escape*
der **Flur** *the passage*
der **Fluss** *the river*
flüstern *to whisper*
die **Flut** *the flood*
folgen *to follow*
der **Förster** *the forester, forest warden*
das **Foto** *the photograph*
die **Frage** *the question*
fragen *to ask*
die **Fränkische Schweiz** *mountainous region in Franconia*
die **Frau** *the wife; the woman*
frech *cheeky*
sich **frei** machen *to disengage oneself*
freilassen *to release*
der **Freitag** *Friday*
freiwillig *voluntary, voluntarily*
der **Fremde** *the foreigner, stranger*
fressen *to eat (of animals); (slang) to scoff*
das **Freudenfeuer** *the bonfire*
freudig *joyful(ly)*
sich **freuen** *to rejoice*
sich **freuen** auf *to look forward to*
der **Freund** *the friend*
freundlich *friendly, in a friendly manner*
die **Freundschaft** *friendship*
friedlich *peaceable, peaceably*
frieren *to freeze*
frisch *fresh*
frischgebacken *freshly-baked*
früh *early*
der **Frühling** *the spring*
das **Frühstück** *the breakfast*
frühstücken *to breakfast*
(sich) **fühlen** *to feel*
führen *to lead, take*
der **Fund** *the discovery*
für *for*
furchtbar *dreadful(ly), frightful(ly)*
der **Fuss** *the foot*

G

gähnen *to yawn*
im **Gang** *in progress*
ganz *whole, wholly; quite*
gar nicht *not at all*
gar nichts *nothing at all*
garantieren *to guarantee*
die **Gardine** *the net-curtain(s)*
der **Garten** *the garden*
der **Gartenschlauch** *the garden hose*
das **Gartentor** *the garden gate*
das **Gartenviertel** *the residential area*
der **Gartenzaun** *the garden-fence*
der **Gast** *the guest*
wie **gebannt** *spell-bound*
geben *to give*
es **gibt** *there is, there are*
das **Gebirge** *the mountains, mountainous region*
gebückt *bent*
das **Gebüsch** *the thicket*
der **Gedanke** *the thought*
die **Geduld** *patience*
geduldig *patient(ly)*
geehrt *dear, honoured*
gefährlich *dangerous*
das **Gefälle** *the slope*
gefallen *to please*
das **Gefängnis** *the prison*
die **Gefängnisstrafe** *imprisonment*
gefasst (auf) *prepared (for)*
gegen *about; against*
der **Gegenstand** *the thing, object*
im **Gegenteil** *on the contrary*
der **Gegner** *the opponent*
geheim *secret(ly)*
das **Geheimnis** *the secret*
gehen *to go*
nicht **geheuer** *uncanny*
gehören *to belong*
gekränkt *hurt, wounded (of feelings)*
das **Gelächter** *laughter*
das **Gelände** *the terrain*
gelb *yellow*
das **Geld** *the money*
die **Geldbüchse** *the money-box*
die **Geldstrafe** *the fine*
die **Gelegenheit** *the opportunity*
eine **Gemeinheit** *a dirty trick*

der **Gemüsegarten** *the vegetable garden*
gemütlich *comfortable, agreeable*
genehmigen *to authorize*
genau *right, exactly; meticulous(ly), intimate(ly)*
genauso *just as*
geniessen *to enjoy*
das **Gepäcknetz** *the luggage-rack*
gerade *just, straight*
geraten *(here) to get, come*
gern(e) *gladly, willingly*
gern haben *to be fond of*
der **Geruch** *the smell*
geschehen *to happen*
die **Geschichte** *the story*
das **Gesicht** *the face*
das **Gespräch** *the conversation*
das **Gesprächsthema** *the topic of conversation*
gestern *yesterday*
das **Gewehr** *the rifle*
der **Gewinn** *the profit*
gewinnen *to win*
das **Gewitter** *the thunder-storm*
die **Gewohnheit** *the habit*
giessen *to pour*
das **Gitter** *the grating; fence*
der **Glassplitter** *the piece of glass*
glatt *smooth*
glauben *to believe, think*
gleich *immediately*
das **Gleichgewicht** *balance*
glücklicherweise *fortunately*
gnädige Frau *madam (literally: gracious lady)*
die **Gondel** *the cable-car*
das **Grab** *the grave*
graben *to dig*
grau *grey*
grell *dazzling*
der **Grenzbeamte** *the border official*
der **Grenzdienst** *the duties of a border guard*
die **Grenze** *the border, frontier*
der **Grenzort** *the border town*
grimmig *grim(ly)*
grinsen *to grin*
gross *big, large*
die **Grösse** *the size*
die **Grossmutter** *the grand-mother*

grün *green*
die **Gruppe** *the group*
grüss Gott! *hallo! (in South Germany and Austria)*
gucken *to peep, look*
günstig *favourable, favourably*
gut *good; well*

H

das **Haar** *the hair*
die **Haarfarbe** *the colour of (somebody's) hair*
das **Haaröl** *hair-oil*
halb *half*
halten *to hold; to stop*
die **Haltung** *the attitude*
das **Handtuch** *the towel*
die **Handtuchschlacht** *the towel-fight*
eine **Handvoll** *a handful*
der **Hang** *the slope*
hart *hard*
hässlich *ugly*
hauptsächlich *main(ly)*
die **Hauptstrasse** *the main road*
das **Haus** *the house*
   nach **Hause** *home, homewards*
   zu **Hause** *at home*
die **Hausarbeit** *housework*
die **Haustür** *the front door*
heben *to lift, hoist*
das **Heft** *the exercise-book*
heftig *violent*
die **Heide** *the heath*
das **Heidekraut** *heather*
die **Heidschnucke** *small breed of sheep found on Lüneburg Heath*
die **Heimatadresse** *the home address*
heiss *hot*
heissen *to be called*
   das **heisst** *that is*
der **Held** *the hero*
helfen *to help*
hell *bright*
herankeuchen *to come panting up*
heranschnaufen *to come wheezing up*

heraufziehen *to come up, appear (of clouds)*
heraus *out*
herausbekommen *to find out*
herausstürzen *to rush out*
herein *in, into*
herholen *to bring here*
herkommen *to come near, approach*
herrlich *lovely*
hersehen *to look*
herumgehen *to go round, walk round*
herunter *down, down here*
herunterrollen *to roll down*
das **Herz** *the heart*
herzlich *warmly*
der **Heuschober** *the haystack*
heute *today*
hiesig *local*
der **Himmel** *the sky, Heaven*
hinauf *up, upwards*
hinaufklettern *to clamber up*
hinaufschweben *to soar up*
hinaus *out*
hindern *to prevent, hinder*
hinfallen *to fall down*
sich **hinsetzen** *to sit down*
sich **hinstellen** *to stand*
hinter, hinterher *behind*
hinübereilen *to hurry over*
hinunter *down*
hinunterblicken *to look down*
hinunterschweben *to glide down*
hinwegschallen *to echo away*
der **Hinweis** *the hint, suggestion*
hoch, hoh *high*
hochklappen *to turn up*
der **Hochzeitstag** *the wedding day*
hochziehen *to pull up*
der **Hof** *the farm, farmstead*
hoffentlich *it is to be hoped*
die **Hoffnung** *the hope*
höflich *polite(ly)*
die **Höhle** *the cave*
holen *to fetch*
die **Holzbrücke** *the wooden bridge*
die **Holzhütte** *the wooden hut*

der **Holzschuppen** *the shed*
hören *to hear*
der **Hörer** *the receiver*
die **Hosentasche** *the trouser-pocket*
der **Hotelangestellte** *the hotel employee*
der **Hügel** *the hill, mound*
der **Hund** *the dog*
die **Hundehütte** *the dog-kennel*
die **Hundepfeife** *the dog-whistle*
die **Hundeschau** *the dog show*
der **Hundezüchter** *the dog-breeder*
der **Hüne** *(literally) the giant; (here) one of the pre-historic men referred to as "Hüne", because their burial mounds are so large*
das **Hünengrab** *the barrow, pre-historic tomb*
der **Hut** *the hat*
die **Hütte** *the kennel; the hut*

I

die **Idee** *the idea*
immer *always*
immer noch *still*
immer wieder *again and again*
inmitten *in the middle*
innen *inside*
das **Innere** *the interior*
das **Inserat** *the advertisement*
interessant *interesting*
sich **interessieren** für *to be interested in*
das **Internat**, die **Internatschule** *the boarding-school*
inzwischen *meanwhile*
irgend jemand *anybody*
irgendwo *somewhere*
der **Italiener** *the Italian*

J

die **Jacke** *the jacket*
die **Jackentasche** *the jacket pocket*
die **Jagd** *the hunt, chase*
das **Jahr** *the year*
jammern *to whine*

der **Januar** *January*
jawohl *yes indeed*
je *(to) each*
jeder *each, everybody*
jemand *someone*
jetzt *now*
jubeln *to rejoice, shout with joy*
die **Jugendgruppe** *the group of young people*
jung *young*

K

der **Kaffee** *coffee*
kalt *cold*
kameradschaftlich *like a pal*
kaputt *smashed, ruined*
die **Karte** *the map; the ticket*
der **Karton** *the cardboard box, carton*
die **Katze** *the cat*
kauen *to chew*
kaufen *to buy*
der **Kaufmann** *the dealer, businessman*
der **Kaugummi** *chewing-gum*
kaum *scarcely*
kein *no, none*
der **Keller** *the cellar*
kennen *to know*
der **Kerl** *the fellow, chap*
die **Kerze** *the candle*
das **Kind** *the child*
der **Kinderwagen** *the pram*
das **Kissen** *the cushion*
die **Kiste** *the box*
die **Klammer** *the clamp, holder (on a bicycle)*
klappen *to clap, clatter; to go off well*
klar *clear*
klatschen *to clap, applaud*
das **Kleid** *the dress; the garment*
die **Kleidung** *clothing*
klein *little*
der **Kleingarten** *the allotment*
klettern *to climb*
klingeln *to ring*
klopfen *to knock, beat*
der **Klubabend** *the club night*
das **Klub-Hauptquartier** *the club headquarters*

das **Klubmitglied** *the club member*
klug *clever*
knapp *close, tight*
knirschen *to grind (cut)*
der **Knochen** *the bone*
der **Knopf** *the button*
kochen *to cook*
die **Kochkenntnisse** *knowledge of cookery*
der **Koffer** *the suitcase*
die **Kohle** *coal*
auf **Kommando** *at a command*
der **Konkurrent** *the rival*
können *to be able*
der **Kopf** *the head*
das **Kopfweh** *the headache*
korrigieren *to correct*
das **Krachen** *crashing*
kräftig *strong, vigorous*
krank *ill*
das **Krankenhaus** *the hospital*
die **Kreide** *chalk*
kreisen *to circle*
das **Kriegsbeil** *the hatchet*
die **Küche** *the kitchen*
der **Kuchen** *the cake*
die **Kuckucksuhr** *the cuckoo clock*
die **Kuh** *the cow*
sich **kümmern** um *to bother about, look after*
der **Kunde** *the customer*
kurz *short(ly)*

L

lachen *to laugh*
lächeln *to smile*
lächerlich *ridiculous*
das **Laken** *the sheet*
das **Land** *the country*
der **Landarbeiter** *the farm-hand*
die **Landluft** *the country air*
die **Landstrasse** *the main road*
lang *long*
langsam *slow(ly)*
langweilig *tiresome, boring*
der **Lärm** *the din, noise*
lassen *to leave, let*
lass mal! *drop it!*
laufen *to run*
das **Laufen** *running*
laut *loud(ly), noisy*

läuten *to ring*
der **Lautsprecher** *the loudspeaker*
die **Lawine** *the avalanche*
leben *to live*
die **Lebensmittel** (pl.) *food, provisions*
das **Lebensmittelgeschäft** *the grocery*
leer *empty*
legen *to lay*
sich **legen** *to lie down*
lehnen *to lean*
der **Lehrer** *the teacher*
aus **Leibeskräften** *with all one's might*
leicht *slight, light; easy*
leider *unfortunately*
die **Leine** *the leash*
leise *soft(ly)*
der **Leiter** *the man in charge*
die **Leiter** *the ladder*
lernen *to learn*
lesen *to read*
der **Leser** *the reader*
letzte(-r,-s) *last*
leuchten *to gleam*
die **Leute** (pl.) *people*
der **Lichtschein** *the gleam (of light)*
das **Lichtsignal** *the signal flash*
lieb *dear*
lieber *rather*
liegen *to lie*
der **Liegestuhl** *the deck-chair*
die **Limonade** *lemonade*
linker, linke, linkes *left (adj.)*
links *left, to the left*
los! *let's go!*
was ist los? *what's the matter?*
losbrechen *to break (loose)*
losgehen *to begin; to start out*
loslassen *to let go of, release*
loslaufen *to run off*
losstürmen *to rush (forward)*
die **Lösung** *the solution*
die **Luft** *the air*
Luft holen *to draw breath*
nach **Luft** schnappen *to gasp for breath*
das **Luftgewehr** *the air-gun*

72

die (**Luft**)**pumpe** *the bicycle pump*
die **Luftseilbahn** *the cable railway, cable-car*
die **Lungenentzündung** *pneumonia*
lustig *gay, merry*

M

machen *to do, make*
das **Mädchen** *the girl*
mahnen *to warn*
mal *times*
das **Mal** *the time, occasion*
malen *to paint*
man *one, people*
manch *many a*
manchmal *sometimes*
die **Mangelware** (pl.) *goods in short supply*
der **Mann** *the man; the husband*
die **Mannschaft** *the team*
der **Mantelkragen** *the coat-collar*
die **Mark** *the mark (German coin worth about* 1s. 10d., 1965)
der **Marsch** *the march, walk*
die **Mauer** *the wall*
mehr *more*
mehrere *several*
mehrmals *several times*
mehrmonatig *of several months' duration*
meinen *to say; to mean*
meist *most*
melden *to report*
die **Meldung** *the information, report*
die **Menge** *the crowd*
der **Mensch** *the human being*
merken *to notice*
merkwürdig *remarkable, strange*
die **Miene** *the look, expression*
mieten *to hire*
das **Mikrofon** *the microphone*
mindestens *at least*
misstrauisch *suspicious(ly)*
mit *with*
das **Mitglied** *the member*
mitmachen *to join in*

die **Mitte** *the middle*
mitteilen *to inform*
der **Mittwoch** *Wednesday*
mögen *to like*
möglich *possible*
Moment! *just a minute!*
der **Monat** *the month*
der **Montag** *Monday*
der **Morgen** *the morning*
morgen *tomorrow*
morgens *in the mornings, every morning*
das **Motorboot** *the motor-boat*
müde *tired*
der **Mund** *the mouth*
munter *lively*
müssen *to have to*
die **Mutter** *the mother*
Mutti *Mum*

N

na *well*
nach *after; to, for*
nach oben *upwards*
nach vorn *forwards*
der **Nachbar**, die **Nachbarin** *the neighbour*
nachdenken *to ponder*
nachfragen *to inquire*
nachher *afterwards*
nachlassen *to diminish*
nachlaufen *to run after*
der **Nachmittag** *the afternoon*
nachsehen *to go and see, check up*
nächst *next, nearest*
die **Nacht** *the night*
nachts *by night*
der **Nachtdienst** *night-duty*
die **Nähe** *the vicinity*
nämlich *namely, that is to say; as it happens; you know*
die **Nase** *the nose*
der **Nationalfeiertag** *the national day, national holiday*
natürlich *naturally, of course*
neben *near, in addition to*
der **Neffe** *the nephew*
nehmen *to take*

sich **nennen** *to be called, to call oneself*
nett *nice, pleasant*
neu *new*
die **Neuigkeit** *the piece of news*
nicken *to nod*
nie *never*
niemand *nobody*
das **Nilpferd** *the hippopotamus*
noch *still, yet*
notieren *to note, note down*
nötig *necessary*
im **Nu** *in an instant*
die **Nummer** *the number; the turn*
nun *now*
nur *only*

O

ob *whether*
oberhalb *above*
oder *or*
der **Ofen** *the stove*
offen *open*
(sich) **öffnen** *to open*
oft *often*
ohne *without*
ohnmächtig *helpless; unconscious*
das **Ohr** *the ear*
der **Omnibus** *the bus*
der **Onkel** *the uncle*
in **Ordnung** *in order*
die **Originalverpackung** *the original wrappings, the original package(s)*
der **Ort** *the town*
das **Ortsende** *the outskirts of a village*
die **Osterferien** (pl.) *the Easter holidays*
das **Österreich** *Austria*
der **Österreicher** *the Austrian*
österreichisch *Austrian*

P

das **Paar** *the pair*
ein **paar** *a few*
packen *to grab, seize*
das **Paket** *the package, packet*
das **Papierschnitzel** *the scrap of paper*

passen *to suit*
passieren *to happen*
peitschen *to lash*
der **Pfadfinder** *the boy scout*
die **Pfeife** *the whistle*
pfeifen *to whistle*
der **Pfennig** *the pfennig (1/100 of a mark)*
das **Pferd** *the horse*
der **Pfiff** *the whistle, whistling sound*
die **Pflaume** *the plum*
die **Pfote** *the paw*
das **Pfund** *the pound (weight: 1 German pound equals about 1.1 lb. English weight)*
das **Plakat** *the poster*
der **Platz** *the place; room*
plötzlich *sudden(ly)*
die **Polizei** *the police*
das **Polizeiauto,** der **Polizeiwagen** *the police car*
der **Polizeibeamte** *the police officer*
die **Polizeiwache** *the police-station*
der **Polizist** *the policeman*
die **Post** *the mail; the post-office*
der **Postbote** *the postman*
der **Postbus** *the postal bus (passenger bus operated by the German postal service)*
prämiieren *to award a prize*
der **Preis** *the prize*
der **Preisrichter** *the judge*
prima *splendid, fine*
die **Probefahrt** *the trial run*
pros(i)t! *here's to us! cheers!*
prüfen *to test*
der **Punkt** *the point*
pünktlich *on time*
puterrot *red as a beetroot*
die **Putzfrau** *the charlady, cleaner*

Q

der **Quatsch** *nonsense*
quieken *to squeak, squeal (of piglets)*

74

R

das **Rad** *the wheel; the bicycle*
die **Radtour** *the cycle ride*
 radeln *to cycle*
der **Radler** *the cyclist*
der **Rang** *the row*
 rasch *quick(ly)*
 rasen *to scorch along*
der **Rasen** *the lawn*
die **Rasse** *the breed*
 raten *to guess*
das **Rätsel** *the riddle, puzzle*
der **Räuber** *the robber*
der **Rauch** *the smoke*
der **Raum** *the room*
 rechnen *to count, reckon*
die **Rechnung** *the account, bill*
 recht *right, quite; really*
  recht haben *to be right*
  recht viel *a great deal*
 rechts, nach **rechts** *to the right*
 rechts herum *round to the right*
 reden *to talk*
der **Regen** *the rain*
der **Regentropfen** *the rain-drop*
die **Regenwolke** *the rain-cloud*
 reiben *to rub*
 reichen *to be (long) enough*
die **Reihe** *the row*
 rein *clean*
 reinigen *to clean*
das **Reinigungspräparat** *the cleaning preparation*
die **Reise** *the journey, trip*
der **Reisende** *the traveller*
 reissend *rapid*
 reizbar *irritable*
die **Religionsstunde** *the religious instruction class*
 rennen *to run*
das **Rennen** *the race*
die **Rennstrecke** *the course*
der **Rennwagen** *the racer, racing car*
der **Rest**, die **Reste** *the remains*
 richten *to direct*
 richtig *real*
die **Richtung** *the direction*
 riechen *to smell*
der **Riegel** *the bolt*
 ringen *to wring; to struggle*

der **Ringkampf** *the wrestling-match*
 ringsum *all around*
der **Rock** *the skirt, frock*
der **Rohkaffee** *coffee beans*
die **Röntgenstrahlen** (pl.) *X-rays*
 rosa *pink*
 rot *red*
das **Rote Kreuz** *the Red Cross*
 rothaarig *red-haired*
eine doppelte **Rückwand** *a false back*
 rufen *to call out, shout*
die **Ruhe** *rest, peace*
 ruhig *calm(ly)*
 rühren *to move*
 rund *about*
der **Rundfunk** *the radio*
 rütteln an *to rattle at*

S

die **Sache** *the affair, business*
der **Sack** *the sack, bag*
 sagen *to say*
das **Sägemehl** *sawdust*
 sammeln *to collect*
die **Sammlung** *the collection*
die **Satteltasche** *the saddle-bag*
 säuberlich *neatly*
 saubermachen *to clean up*
 sauer *sour*
der **Schaden** *the damage*
das **Schaf** *the sheep*
 schaffen *to transport*
die **Schafrasse** *the breed of sheep*
der **Schäferhund** *the sheepdog*
 der **deutsche Schäferhund** *the Alsatian dog*
 schallen *to ring out*
 scharf *ferocious (of dogs)*
 schätzen *to think, reckon*
 schauen *to look*
 schäumend *foaming*
das **Schauspiel** *the spectacle (also play)*
 scheinen *to shine; to appear*
 schenken *to give a present*
 scheusslich *hideous*
 schicken *to send*
 schieben *to push*

75

schief *crooked*
  schief gehen *to go wrong*
schiessen *to shoot, rush*
der Schifahrer *the skier*
schimpfen *to grumble, tell off*
der Schlaf *sleep*
schlafen *to sleep*
schläfrig *sleepy*
das Schlafzimmer *the bedroom*
schlagen *to beat; to slap*
die Schlägerei *the scuffle, fight*
die Schlagzeile *the headline*
schlecht *bad*
die Schleife *the bow*
schliessen *to shut*
  Freundschaft schliessen *to pledge friendship*
schliesslich *finally, in the end*
schlimm *serious, bad*
der Schlips *the tie*
Schlittschuh laufen *to skate*
der Schlittschuhläufer *the skater*
schluchzen *to sob*
der Schluck *the mouthful, gulp*
zum Schluss *finally, in the end*
das Schlüsselloch *the keyhole*
schmal *narrow*
das Schmuggelgut *contraband*
schmuggeln *to smuggle*
der Schmuggler *the smuggler*
der Schmutz *the dirt*
schmutzig *dirty*
schnappen nach *to snap at*
schnaufen *to wheeze*
schnell *quick(ly)*
die Schnitzeljagd *the paper-chase*
der Schnitzeljäger *competitor in a paper-chase*
der Schnürsenkel *the shoe-lace*
schon *already; quite*
schön *fine, beautiful*
der Schreck *shock, fright, alarm*
schrecklich *terrible*
der (Schreib)tisch *the desk*
schreiben *to write*
schreien *to shout, cry out*
schüchtern *shy, shily*
der Schuft *the scoundrel, "rotter"*

der Schuh *the shoe*
das Schulbuch *the schoolbook*
der Schuldirektor *the headmaster*
die Schule *the school*
der Schüler *the pupil*
die Schulter *the shoulder*
der Schuppen *the shed*
der Schuss *the shot*
der Schutthaufen *the rubbish-heap*
schütteln *to shake*
schwach *feeble, feebly*
der Schwager *the brother-in-law*
der Schwanz *the tail*
schwarz *black*
schwarznasig *black-nosed*
der Schwarzwald *the Black Forest*
schweigen *to be silent*
die Schweiz *Switzerland*
der „Schweizer Hof" *the "Swiss Inn"*
schwenken *to flourish*
die Schwester *the sister*
(sich) schwingen *to swing (oneself)*
schwül *close, sultry*
der See *the lake*
das Seeufer *the lakeside*
sehen *to see, look*
sehr *very*
die Seifenkiste *the soap-box, soap-box racer*
das Seifenkistenrennen *the soap-box Derby*
der Seifenkisten(renn)wagen *the soap-box racer*
die Seilbahn *the cable-railway*
die Seilbahndirektion *the cable-railway management*
seit *since*
  seit Wochen *for weeks past*
die Seite *the side*
  nach allen Seiten *in all directions*
sekundenschnell *within seconds*
selbst, selber *oneself, himself, etc.*
setzen *to put*
sich setzen *to sit down*
seufzen *to sigh*
sicher *sure(ly), certain(ly)*
der Sieg *the victory*

die **Siegerehrung** *the winners'*
ovation
der **Siegeskranz** *the victor's*
laurel wreath
der **Sitz** *the seat*
die **Socke** *the sock*
sofort *immediately*
sogar *even; just as*
der **Sohn** *the son*
solch *such*
sollen *to have to*
die **Sommerferien** (pl.) *the*
summer holidays
der **Sommerkurs** *the summer*
course
eine **Sonderfahrt** *an extra*
journey, a special trip, tour
der **Sonnabend** *Saturday*
die **Sonne** *the sun*
der **Sonntag** *Sunday*
sonst *otherwise*
soweit *as far as*
spähen *to peer*
spät *late*
der **Spaten** *the spade*
spazierengehen *to go for a*
walk
der **Speck** *bacon*
der **Speisesaal** *the dining-room,*
refectory
spekulieren *to speculate*
sperren *to shut, shut up*
das **Spiel** *play*
spielen *to play*
der **Spinner** *the madman, lunatic*
(slang)
spitzen *to prick up (ears)*
der **Sportlehrer** *the sports*
master, coach
spöttisch *mocking(ly)*
die **Sprache** *the language*
sprachlos *speechless*
der **Sprachunterricht** *(foreign)*
language instruction
sprechen *to talk, speak*
spritzen *to spray*
die **Spur** *the trail; the lead; the*
trace
die **Stadt** *the town, city*
das **Stadtjugendamt** *the*
town's youth department
der **Stadtrand** *the outskirts of a*
town
stahlblau *steel-blue*

der **Standesbeamte** *the*
registrar
die **Stange** *the big package (of*
cigarettes)
stapeln *to pile up*
stark *strong; steep (of slope)*
starren *to stare*
der **Startschuss** *the starting*
signal (literally, the starting
shot)
stattfinden *to take place*
der **Staub** *the dust*
der **Staubsauger** *the vacuum-*
cleaner
das **Staubtuch** *the duster*
die **Staubwolke** *the cloud of dust*
staunen *to be surprised*
das **Staunen** *amazement*
stecken *to stick; to be fixed*
stehen *to stand*
stehenbleiben *to stop*
stehlen *to steal*
steil *steep(ly)*
der **Stein** *the stone*
die **Stelle** *the spot, place*
stellen *to place*
das **Stellenangebot** *the adver-*
tisement in the "Situations
Vacant" column of a
newspaper
das **Steuer** *the steering-wheel*
still *quiet, still*
die **Stille** *silence*
die **Stimme** *the voice*
stimmen *to be correct*
die **Stimmung** *the atmosphere*
stocken *to stop, stop short*
stolz *proud(ly)*
stoppen *to stop*
stören *to disturb*
die **Störung** *the interruption*
stossen *to nudge, push*
strahlen *to beam*
die **Strasse** *the street*
der **Strassenfeger** *the road-*
sweeper
streicheln *to stroke*
die **Streife** *the (spell of) duty*
auf **Streife** *on patrol*
streiten *to quarrel, argue*
streng *severe(ly)*
der **Strich** *the line*
der **Strick** *the rope*

der **Stück**   the piece; the short
  distance
der **Stuhl**   the chair
  stumm   silent; dumb
die **Stunde**   the hour
  pro **Stunde**   per hour
  stutzen   to start, to be taken
  aback
die **Suche**   the search
  auf der **Suche** nach   in
  search of
  suchen   to look for, search
der **Südwest**   the south-west
die **Summe**   the sum, amount

T

der **Tag**   the day
  tagelang   for days on end
  taghell   as light as day
das **Tal**   the valley
die **Tannenspitze**   the top of a
  fir tree
die **Tante**   the aunt
der **Tanz**   the dance
die **Tasche**   the pocket
das **Taschengeld**   pocket money
die **Taschenlampe**   the flash-
  lamp
das **Taschentuch**   the
  handkerchief
  tatsächlich   in fact, indeed
  technisch   technical
der **Tee**   tea
der **Teer**   tar
der **Teil**   the part
  teilen   to share
  teilnehmen   to take part
der **Teilnehmer**   the competitor
  telefonieren   to telephone
das **Tempo**   speed
der **Tennisplatz**   the tennis-
  court
der **Tennisverein**   the tennis club
der **Teppich**   the carpet
das **Testament**   the will
die **Theaterkarte**   the theatre
  ticket
die **Thermosflasche**   the
  thermos flask
  tief   deep
das **Tier**   the animal
der **Tierknochen**   the animal-
  bone

Tiroler   Tyrolean
die **Tiroler Ache**   an Alpine river,
  thus called to distinguish it
  from several rivers called
  the Ache in other parts of
  Germany
  toll   mad; (slang) smashing
der **Ton**   the note
der **Topf**   the tin (also the sauce-
  pan)
  tot   dead
  tragen   to carry; to wear
  tränenfeucht   tear-dampened
der **Traum**   the dream
  träumen   to dream
  traurig   sad(ly)
(sich) **treffen**   to meet
  trinken   to drink
  trocknen   to dry
die **Tropfsteinhöhle**   the
  stalactite cave
  trotten   to trot
  trotzdem   just the same
  tun   to do; to put
die **Tür**   the door
  typisch   typical

U

  über   over; about; by way of
  überall   everywhere
  überblicken   to overlook
  überhaupt   in general
  überhören   to ignore
  überlegen   to ponder
  überreden   to persuade
  überreichen   to deliver, hand
  over
die **Überschwemmung**   flooding
  übersehen   to observe, survey
  üblich   usual
  übrig   remaining, other
  übrigens   moreover, besides;
  by the way
das **Ufer**   the bank
die **Uferseite**   the side, bank
  um   at, around
  um...herum   round
  um...zu   in order to
  um...Uhr   at ... o'clock
  umbringen   to murder
  umdrehen   to turn round
  umgeben   to surround

die **Umgebung** *the environs,*
surrounding area
umgehen können mit *to*
get along
umkehren *to turn back,*
retrace one's steps
umklammern *to clasp*
umkreisen *to circle round*
sich **umschauen**, sich **umsehen**
to look back, look round
umständlich *fussy, fussily*
umsteigen *to change*
unauffällig *unobtrusive(ly)*
unbewacht *unguarded*
der **Unfall** *the accident*
ungefähr *about*
ungestört *undisturbed*
ungläubig *incredulous(ly)*
das **Unglück** *the accident,*
calamity
unhöflich *impolite,*
discourteous
unmöglich *impossible*
unruhig *alarmed*
unschlüssig *undecided(ly)*
unten *below, down below*
unter *under; among*
unterbrechen *to interrupt*
der **Unterhalt** *keep*
sich **unterhalten** *to talk, chat*
untersuchen *to check*
unterwegs *under way*
unwillig *unwilling(ly)*
der **Urlauber** *the holidaymaker*

V

der **Vater** *the father*
Vati *Dad*
sich **verabschieden** *to say*
good-bye
verängstigt *scared*
verantwortlich *responsible*
verblüfft *bewildered*
verbreiten *to spread, diffuse*
verbringen *to spend (of*
time)
verdächtig *suspicious(ly)*
verdienen *to earn, gain*
vereinbart *agreed (upon)*
verfallen *tumble-down*
vergangen *past*
vergeblich *in vain*

vergehen *to pass*
vergessen *to forget*
das **Vergnügen** *amusement*
vergnügt *cheerful(ly)*
verhören *to question*
verhungern *to starve*
verjagen *to chase away*
verkaufen *to sell*
der **Verkehr** *the traffic*
verlegen *awkwardly,*
embarrassed
verlieren *to lose*
vermuten *to expect*
vernünftig *sensible*
verrückt *crazy*
verrückt werden *to go*
crazy
verschieden *various*
verschlafen *sleepy*
verschütten *to bury*
verschwinden *to disappear*
verstauchen *to sprain*
das **Versteck** *the hiding-place*
verstecken *to hide*
verstehen *to understand*
versuchen *to try, attempt*
verteilen *to distribute*
das **Vertrauen** *confidence*
verüben *to commit*
verurteilen *to condemn*
sich **verwandeln** in *to turn into*
verwildert *neglected*
viel *much, a lot*
viele *many*
vielleicht *perhaps*
vielmals *many times*
eine **Viertelstunde** *a quarter of*
an hour
die **Villa** *the large, detached house*
die **Vitaminspritze** *the vitamin*
injection
der **Vogel** *the bird*
voll *full*
völlig *completely*
von *of, from, by*
vorausfahren *to go on*
ahead
vorausrennen *to run on*
ahead
vorbei *past, over*
vorbeifliegen *to fly past*
sich (an jemandem) **vorbei-**
schieben *to edge past*
(someone)

vorbereiten to prepare
die **Vorbereitungen** (pl.) the preparations
sich **vorbeugen** to lean forward
der **Vorfall** the incident
vorfinden to discover, find
vorgestern the day before yesterday
vorher beforehand
vorig previous
vorkommen to seem
vorlesen to read aloud
vorschlagen to suggest
vorschreiben to prescribe
vorsichtig careful(ly)
der **Vorsprung** the lead

W

wach awake
der **Wacholder** juniper
wachsen to grow
der **Wachtmeister** a minor rank in the German police
wackeln to shake
wagen to dare
der **Wagen** the car, racer
wählen to dial
während while
wahrhaftig really and truly
wahrscheinlich probable, probably
der **Wald** the wood
der **Waldrand** the edge of a wood
die **Wand** the wall
die **Wanderung** the excursion, outing
wann when
die **Ware(n)** goods
das **Warenlager** the warehouse
warten to wait
warum why
was what
der **Waschraum** the washroom
das **Wasser** the water
der **Wasserfall** the waterfall
der **Wassernapf** the water-bowl
waten to wade
der **Weg** the path, way
weg away, gone
die **Wegbiegung** the bend in the road
wegen for, on account of

wegfahren to drive away
wegfegen to sweep away
wegwerfen to throw away
das **Weh** pain
o weh! oh dear! ouch!
weiden to graze
das **Weihnachten** Christmas
weil because
eine **Weile** a while
weinen to weep, cry
weiss white
weisslich whitish
weit far
welcher which, what
die **Welt** the world
wenig (a) little
wenigstens at least
wenn if; when
wer who
werden to become
werfen to throw
der **Werkzeugkasten** the tool-box
wetterfest weather-proof
der **Wettlauf** the race, running contest
wie how, as; like
wieder again
wiedererkennen to recognize (again)
die **Wiese** the meadow
das **Wiesel** the weasel
wieso? how do you mean?
der **Wildbach** the torrent
wildromantisch romantic-ally wild
der **Wille(n)** the wish, purpose
der **Windstoss** the gust of wind
der **Wink** the sign
der **Wintersportort** the winter sports centre
wirken to work, act
wirklich really
wissen to know
das **Wissen** knowledge
der **Witz** the joke
wo where
woanders somewhere else
die **Woche** the week
wodurch how, by what means
woher where from
wohin where to
wohl very likely; doubtless
wohnen to live

die **Wohnung**   *the flat*
das **Wohnzimmer**   *the living-room*
sich **wölben**   *to arch, stretch*
die **Wolke**   *the cloud*
wollen   *to wish, want to*
das **Wort**   *the word*
wunderbar   *wonderful(ly)*
die **Würde**   *dignity*
die **Wurst**   *the sausage*
wütend   *furious(ly)*

Z

zahlen   *to pay*
zählen   *to count*
zahlreich   *numerous*
der **Zahn**   *the tooth*
der **Zahnputzbecher**   *the tooth-glass*
der **Zaun**   *the fence*
zeichnen   *to draw*
zeigen   *to show, point*
die **Zeit**   *(the) time*
die **Zeitung**   *the newspaper*
der **Zeitungsjunge**   *the paper-boy*
der **Zentimeter**   *the centimetre (about 0.4 of an inch)*
zerbrechen, zerschlagen   *to smash to pieces*
zerstören   *to destroy*
zertrümmern   *to wreck*
der **Zettel**   *the slip of paper*
ziehen   *to tug, pull*
das **Ziel**   *the finishing line*
durchs Ziel gehen   *to cross the finishing line*
zielen   *to aim*
das **Zigarettenpapier**   *the cigarette paper*
das **Zimmer**   *the room*
zittern   *to tremble*
der **Zoll**   *the customs*
die **Zollaufsichtsstelle**   *the customs post*

der **Zollbeamte**   *the customs official*
der **Zollhund**   *the customs dog*
der **Zollhundlehrer**   *the customs dog trainer*
der **Zollinspektor**   *the customs inspector (German customs official)*
der **Zollkommissar**   *the customs commissioner (German customs official)*
das **Zollkommissariat**   *the local customs headquarters*
zu   *to, for; closed*
züchten   *to breed, rear*
zuerst   *first*
der **Zufall**   *the coincidence*
zufällig   *by chance*
zufrieden   *pleased, content(edly)*
der **Zug**   *the train*
zugeben   *to confess*
zugehen   *to go on, happen*
zuletzt   *last, at last*
zurück   *back*
zusammen   *together*
zusammenballen   *to gather, swell (of clouds)*
zusammenbauen   *to assemble*
zusammenstürzen   *to collapse*
sich **zusammentun**   *to come together*
zusammenziehen   *to gather*
der **Zuschauer**   *the spectator*
zuschlagen   *to slam*
zustimmen   *to consent*
zustimmend   *approvingly*
zutiefst   *deeply*
zuviel   *too many; too much*
der **Zweifel**   *the doubt*
zweite   *second*
der **Zwinger**   *the enclosure*
zwischen   *between*

REDENSARTEN

mit dem sie sich seit Jahren bei jeder Gelegenheit in die Haare gerieten (*Seite* 8)
with whom they had crossed swords at every opportunity for years

das waren andere! (*Seite* 10)
it was someone else!

zu mehrmonatiger Gefängnisstrafe (*Seite* 11)
to several months' imprisonment

eben war der Startschuss gefallen (*Seite* 14)
the starting gun had just been fired

gib ihm Saures! (*Seite* 14)
give it to him!

Zentimeter um Zentimeter (*Seite* 14)
centimetre by centimetre

was soll der Quatsch? (*Seite* 14)
what's this nonsense for?

um zwei Uhr früh (*Seite* 17)
at two o'clock in the morning

als er glaubte, die Luft sei rein (*Seite* 18)
when he thought the coast was clear

da stimmt etwas nicht (*Seite* 19)
there's something wrong there

der kennt sich am besten mit Hunden aus (*Seite* 20)
he knows all there is to know about dogs

was war wohl mit Ajax los? (*Seite* 20)
what on earth was the matter with Ajax?

es geht ihm besser (*Seite* 25)
he's improving

nicht ganz klar im Kopf (*Seite* 26)
not quite right in the head

Platz ist da (*Seite* 27)
there's room

dann holte er tief Atem (*Seite* 29)
then he drew a deep breath

komm nur herein (*Seite* 29)
come in, then

Punkt sieben (*Seite* 30)
at seven on the dot

die Reise nach Jerusalem (*Seite* 35)
musical chairs

wir wollen mal sehen (*Seite* 36)
let's just see

dann machen wir, dass wir nach Hause kommen (*Seite* 39)
then we'll be off home

schallendes Gelächter (*Seite* 39)
(a) peal of laughter

das wäre ja noch schöner! (*Seite* 40)
that would be the limit!

das geschieht dir recht (*Seite* 43)
it serves you right

keinen Ton (*Seite* 43)
not a sound

das hat nichts zu bedeuten (*Seite* 44)
that doesn't mean anything

wieso ich? (*Seite* 44)
why me?

so Ende zwanzig! (*Seite* 44)
in her late twenties

ohne mich (*Seite* 46)
count me out

die müssen im Buch stehen (*Seite* 46)
they must be in the book

es tut mir wirklich furchtbar leid (*Seite* 51)
I really am terribly sorry

das macht nichts (*Seite* 51)
that doesn't matter

dieses Nilpferd von Rudolph! (*Seite* 56)
that stupid fool Rudolph!

du dumme Pflaume! (*Seite* 56)
you thick idiot!

kannst du deiner Grossmutter erzählen! (*Seite* 56)
tell it to the marines!

in aller Stille (*Seite* 56)
on the quiet